WIE WACHT OP JOU?

Van Anke de Graaf verscheen eerder:

Waar wegen kruisen
Plannen voor de toekomst
Tussen twijfel en zekerheid
De mensen rond Jurrien Beekman
Wanneer is toen voorbij

Anke de Graaf

Wie wacht op jou?

Spiegelserie

Zomer &Keuning

ISBN 978 90 5977 336 3
NUR 344

www.spiegelserie.nl
Omslagontwerp: Bas Mazur

1

Liz de Winter liep op kousenvoeten naar de achterzijde van de grote huiskamer. Daar stond, rechts van één van de glazen deuren die naar het terras en de tuin leidden, een mooie schemerlamp. Hoog, strak en recht. De lamp verspreidde een zachtroze licht. Ze drukte even met haar voorvoet op de volumeschakelaar en de lamp ging uit. Ze keerde zich om en liep met langzame, bijna slome passen naar de andere kant van het vertrek. Daar stond ook een lamp, op het dressoir. Ook die lamp knipte ze uit. Nu brandden er nog twee lampen. Ze aarzelde even, zou ze ze uit doen en naar boven gaan? Het was al laat... Frits was kort daarvoor naar hun slaapkamer gegaan. 'Ik kijk nog even bij Ineke en Thomas,' had hij gezegd, 'kom jij ook zo? Of wil je graag even alleen zijn?'

Ze had hem een lachje toegezonden; hij begreep haar zo goed, ze had alleen 'ja' geknikt. Want ze wilde alleen zijn.

Ze ging op de bank zitten. De twee lampen toverden een geheimzinnig licht in de kamer. Het was fijn even alleen te zijn om alles wat vanmiddag was gebeurd te overdenken.

Menno was gekomen. Menno Bouwsma. Achttien jaar geleden was hij een jongen van eenentwintig jaar. Een stevige jongeman met een open, vriendelijk gezicht, mooie blauwe ogen en donkerblond, licht golvend haar. Zij was toen achttien. Ze hadden elkaar op een regenachtige namiddag gezien in een eetcafé, het was niet meer geweest dan elkaar zien. Zij was er met collega's van het kantoor, Marja en Heleen, hij met vrienden en vriendinnen. Hij en zij hadden geen woord met elkaar gewisseld, maar de volgende namiddag waren ze, los van elkaar, naar De Toverbol gegaan. Ze praatten met elkaar en maakten de afspraak de komende zaterdag met z'n tweetjes de stad in te trekken. Het waren vijf zaterdagen geworden. Menno Bouwsma was uit Joure in Friesland naar Amsterdam gekomen om te studeren. Hij vertelde haar dat hij een kamer had, maar eigenlijk was dat te min uitgedrukt voor zijn woonruimte, want hij beschikte over een ruime kamer, een slaapkamer, een keukentje en hij had, o, heerlijke luxe, een eigen doucheruimte en een eigen toilet! Hij had voorgesteld, na die vier zaterdagen in de stad, de volgende zaterdag naar zijn kamer te gaan. Daar konden ze heerlijk rustig met elkaar praten, niemand luisterde mee, de koffie die hij zette was goedkoper dan de koffie in de Bijenkorf, ze konden ook samen iets te eten klaarmaken... Liz had gezegd dat ze met hem naar zijn kamer wilde, ze wilde wel weten hoe hij woonde, maar, had ze er ernstig aan toegevoegd: 'Menno, ik wil beslist niet dat het verder tussen ons gaat dan elkaar kussen. Ik noem het bij de naam: ik wil absoluut geen seks. Niet omdat ik je niet aardig vind, dat weet je, ik vind je een leuke vent, maar we kennen elkaar nog maar kort en ik wil het beslist niet.' Hij had er lacherig over gedaan. 'Nee, natuurlijk niet, lieve schat, wat haal je in je hoofd, nee, aan seks denken we nog niet. Dat is ook niet nodig, want ik ben dolgelukkig als jij bij me bent, met me praat, met me lacht, aan seks zijn we nog niet toe...' Ze was met hem meegegaan. Het werd een gezellige middag en het werd avond. Menno schonk een wijntje in, het was een koppig wijntje. Ze zaten dicht naast elkaar op de bank, zijn arm om haar heen en ze keken naar een heel romantische liefdesfilm. Toen het later en later werd stelde Menno haar fluisterend in haar oor voor dat ze de nacht bij hem zou blijven. Als ze nu beslist naar huis wilde bracht hij haar natuurlijk naar hun ontmoetingsplekje, het Monnikenplein, maar dan moesten ze nu hun jassen aantrekken en door de regen en de wind naar de halte van de tram lopen en het was zo gezellig en goed zo samen op de bank... Het was zonde deze heerlijke avond zo abrupt af te breken, zo ontnuchterend. Van het fijne tussen hen, overstappen naar de nuchtere werkelijkheid, regen en kou buiten, fietsen... naar het Monnikenplein... Ze was gebleven. Hij had haar in zijn bed getild en er gebeurde wat zij beslist niet wilde dat gebeuren zou...

Zondagavond was ze naar huis gegaan met het blije geluksgevoel in haar hoofd en in haar hart dat Menno haar grote liefde was en zij was zijn grote liefde. Dit geluk was van hen en het bleef van hen, hun verdere leven lang... Dat gevoel was er ook de maandag nog geweest, maar in de loop van de dinsdagmorgen groeide langzaam een gevoel van onrust, van angst en teleurstelling. Ze ging erover denken en dat denken bracht steeds meer de waarheid in haar boven dat Menno Bouwsma niet de jongen was die zij in hem had gezien en waarop ze verliefd was geworden. Een leuke vent, vriendelijk en vrolijk, die gedachten werden steeds meer overschaduwd door het denken aan wat die nacht was gebeurd. En woensdag wist ze zeker dat ze zich vreselijk in Menno Bouwsma had vergist. Ze had geen ervaring met jongens. Ze had zich laten meeslepen door lieve woorden en kusjes en mooie verhaaltjes, maar Menno Bouwsma was in werkelijkheid, dat wist ze toen heel zeker, een jongen die op zoek was naar een meisje dat hij kon meenemen naar zijn kamer en in zijn bed kon krijgen om met haar te doen waarnaar hij verlangde... Mama had over dat soort jongens en mannen verteld en haar ervoor gewaarschuwd, maar toen ze Menno ontmoette en met hem praatte en lachte dacht ze niet aan moeders woorden. Ze was ervan overtuigd dat hij de jongen was die ze in hem zag. Hij had geen achterbakse gemene bedoelingen, maar die woensdag wist ze dat hij die wel had gehad...

Ze had haar moeder alles verteld. Haar vader was toen al enige jaren overleden en moeder had een vriend, Hans van Westen. Mama had trouwplannen met hem.

Toen na korte tijd bleek dat ze niet ongesteld werd, wist ze dat ze na die ene nacht zwanger was van Menno Bouwsma. Haar moeder en Hans wilden dat ze naar hem toeging om het hem te vertellen, maar

Lizzy wilde niets, totaal niets meer met hem te maken hebben. En haar moeder, Nadine, had daar begrip voor en zegde toe haar zoveel als mogelijk was te zullen helpen door deze moeilijke periode heen te komen.

De baby werd geboren. Een meisje. Ze had de naam Marieke voor haar uitgekozen. Ze was dolgelukkig met het kindje. Kort na de geboorte van Marieke was ze getrouwd met Frits de Winter. Een collega van het kantoor waar ze werkte en een fijne, goede vriend. Frits en zij waren gelukkig met elkaar. Na Marieke werd na vier jaren nog een dochtertje geboren, Ineke, en weer drie jaar later hun zoon Thomas.

Vanmiddag had ze Menno Bouwsma weergezien. Hij was inmiddels ook getrouwd, zijn vrouw heette Suzanne en die Suzanne, wist Lizzy, was op zoek gegaan naar het meisje waarop hij vroeger verliefd was geweest, waarvan hij had gehouden... Het spoor leidde naar haar, naar Lizzy de Winter. Ze wilde absoluut geen confrontatie met hem, maar Marieke had kort daarvoor gezegd: 'Mam, ik ken de liefdesgeschiedenis van jou en die leuke jongen, ja, geef toe, je vond het toen een leuke jongen. Ik neem je niets kwalijk, dat weet je wel, daar hebben we het meer dan eens over gehad, maar ik wil graag één keertje mijn biologische vader zien. Ik lijk wat karakter betreft op jou, maar niet van uiterlijk.'

Na de twee wensen van de onbekende Suzanne en haar eigen dochter bij elkaar te hebben gevoegd had Liz het besluit genomen Menno Bouwsma een keer te ontmoeten.

Vanmiddag opende ze de deur voor hem. Hij stond voor haar. Hij was nog de Menno Bouwsma van achttien jaar geleden... Hij was ouder geworden, maar hij zag er nog uit als de jongeman van toen. Hij keek haar met zijn mooie, echt blauwe ogen aan zoals hij destijds dikwijls naar haar had gekeken en vooral de eerste avond van hun ontmoeting. Dat ontmoeten ging niet verder dan naar elkaar kijken.

Het had hooguit drie, vier minuten geduurd, maar beiden geloofden dat op dat moment een wondertje had plaatsgevonden. 'Een bericht van de liefde,' had Menno gezegd. 'Cupido vuurde pijltjes af.'

Hij keek haar vanmiddag recht aan en stamelde: 'Lizzy, Lizzy... Ik ben zo blij je te zien...'

Ze liet hem binnen, het kon niet anders. Deze ontmoeting was afgesproken, maar er was een stemmetje in haar dat zei dat ze het eigenlijk niet wilde. Ze vond het niet prettig, maar ze had haar moeder en Marieke gezegd dat het goed was dat hij kwam.

Ze praatten korte tijd over simpele, onbelangrijke dingen. Liz wilde geen lang gesprek over ditjes en datjes. Maar ze begreep dat er een korte voorbereiding moest zijn naar de echte vragen van hem aan haar en van haar aan hem. Het had geen zin herinneringen op te halen aan de heerlijke zaterdagen waarvan ze allebei nog wisten en daarbij, het voelde beklemmend, maar zachtjes klonken steeds woorden in haar hoofd die herhaald werden: Hij weet nog niet van Marieke... hij weet nog niet van Marieke...

Hij vroeg waarom ze de woensdagavond van hun afspraak niet naar de Willem de Zwijgerlaan was gekomen. Dit was het moment om hem de waarheid te zeggen. Nu kon ze haar verwijten aan hem kwijt. Maar ze wist opeens, met een grote zekerheid die pijn deed, dat haar waarheid van toen niet de juiste, niet de echte waarheid was geweest. De man die vanaf het moment waarop ze de deur voor hem opende naar haar keek, zijn blikken lieten haar niet los: deze man had echt van haar gehouden. Ze voelde het, ze wist het, maar dat kon ze hem niet zeggen. Ze moest nu antwoord geven op zijn vraag. Ze zei met een gespeelde, maar heftig klinkende overtuiging dat zij ervan overtuigd was geweest dat hij haar naar zijn studentenkamer had gelokt om met haar naar bed te gaan en daarover was ze heel boos geworden. De dagen na het weekend, waarin het gebeurd was, was het voortdurend in haar gedachten geweest en ze wist dat hij haar met voorbedachten rade naar zijn kamer had gelokt. Ze praatte met stemverheffing om haar boosheid van toen alsnog duidelijk te maken. Ze voegde eraan toe: 'De zaterdag daarvoor had ik uitdrukkelijk gezegd dat ik wel met je naar je kamer wilde, waarom niet, maar dat ik niet wilde dat er tussen ons iets op het seksuele vlak zou plaatsvinden, dat mocht niet gebeuren... Je zei lachend, alsof ik een mal voorstel had gedaan, dat daar geen sprake van zou zijn. We waren jong genoeg om daarmee te wachten en je was al blij dat ik bij je was... Maar je schonk te snel mijn wijnglas vol, je voerde me bijna dronken...'

Menno reageerde heftig. 'Nee, nee, Lizzy, zo was het beslist niet! Ik geef onmiddellijk toe dat wat die avond tussen ons is gebeurd van mij is uitgegaan, maar ik hield zoveel van je, ik verlangde zo naar je... Het had niet mogen gebeuren, maar je moet me geloven als ik zeg dat het van mijn kant niet met voorbedachten rade is gegaan, dat is beslist niet waar! Het was een fijne avond, wij tweetjes bij elkaar, ik hield van je en ja, mogelijk begrijp je dat nu beter, nu je getrouwd bent, ik kon me als de knaap die ik toen was niet beheersen. Ik heb er spijt van gehad. Ik vermoedde dat dit het einde van onze relatie veroorzaakte... Maar Lizzy, je moet me nu geloven als ik zeg dat er absoluut in mij geen vooropgezet plan is geweest tot het gebeuren te komen... Het was mijn liefde, mijn verlangen. Ik was ook nog jong en ik wist niet wat er met me gebeurde, dit was de grote liefde waarover gezongen en geschreven werd. Ik was ervan overtuigd dat jij het meisje was dat mijn vrouw zou worden en dat altijd bij me zou blijven.' Hij keek haar nog altijd recht aan. Hij praatte verder. Ze voelde de weifeling in hem deze woorden uit te spreken, maar hij deed het toch: 'Je wordt misschien boos omdat ik dit nu tegen je zeg, maar je was erbij, Lizzy, je was erbij, je ging erin met me mee. Ik tilde je in mijn bed en je kroop tegen me aan...'

Ze wist niet wat daarop te zeggen. Ze ontkende het niet, ze wist dat dit de waarheid was.

Daarop vertelde ze hem dat die nacht niet zonder gevolgen was gebleven. 'Ik was zwanger.'

In flarden kwam alles wat deze avond was gebeurd weer boven. Ze zag er beelden van, ze hoorde de stemmen van toen.

Nu, zo laat in de avond van de dag waarop ze Menno weer had gezien en zijn stem had gehoord, was zij alleen in de schemerig verlichte kamer. Zijn stem, die fluisterend, bijna schor van emotie haar woorden herhaalde. Ze zag het grote ongeloof over de inhoud van haar woorden in zijn ogen: 'Je was zwanger...'

Ze zei er niets op. Langzaam in dat zwijgen drong de inhoud van wat ze hem vertelde tot hem door. Hij riep: 'Je kwam niet naar me toe, je vertelde het me niet! Je was bang dat ik boos zou worden, dat ik het niet zou accepteren. Maar dat had ik beslist wel gedaan, het ging toch om een kind van ons samen! Van jou en van mij, Lizzy, hoe kon je dit voor mij verzwijgen! Ik zou de vader van dat kind zijn! Het kwam niet op een gewilde en geschikte tijd voor ons, dat was beslist zo, maar er was heel zeker een oplossing gekomen! Maar jij verdacht me van vreselijke dingen! Als ik het goed begrijp zag je onze nacht bijna als een verkrachting van mijn kant, maar Lizzy, je bent nu een getrouwde vrouw, je weet dat wat tussen ons gebeurde alleen liefde was... We wilden het allebei...'

Na die woorden was een stilte gevallen. Geen van beiden wist wat nu te zeggen. Ze wisten beiden ook geen weg voor hun vele gedachten en gevoelens. In het hoofd van Lizzy dromden alleen de woorden: Nu weet hij het... Het was nog niet in de volle waarheid tot hem doorgedrongen en dat begreep ze, maar ze had het gezegd. Voor haar was het moeilijke van deze middag voorbij.

Menno vroeg zachtjes: 'Is... is alles goed gegaan?'

'Ja. Alles is goed gegaan. Mijn moeder en Hans hebben me geholpen en ook Frits, die toen een collega van kantoor was, een fijne vriend. Het kindje dat werd geboren, is een meisje. Het is nu een grote meid.' Ze probeerde het met een glimlach te zeggen. 'Ze heeft me korte tijd geleden gezegd dat ze heel graag één keer haar biologische vader wilde zien. Eén keer was voor haar genoeg. Ze wilde je zien om een beeld van je te hebben. Nooit meer hoeven denken: mijn echte vader, hoe zou die man eruitzien... Elke man, die ze waar dan ook tegenkomt, zou haar vader kunnen zijn.' Liz zond opnieuw een lachje naar hem toe, ze had medelijden met hem, hij kon alles wat hij gehoord had niet begrijpen en nog veel minder in zo'n kort tijds- bestek verwerken; dat zou ook onmogelijk zijn. Zijn gezicht stond strak, zijn ogen waren vol verbazing, ze begreep het, ze praatte ver- der: 'Ze begrijpt dat ook jij met je leven bent doorgegaan. Je bent getrouwd, je hebt een goed huwelijk. Ik ben enkele maanden na de geboorte van het kindje met Frits getrouwd. Hij is de wettige vader van Marieke. Na Marieke zijn er nog twee kinderen binnen ons huwelijk geboren. Een dochter, Ineke, en een zoon, Thomas.'

Ze had Marieke geroepen.

Het meisje kwam binnen. Ze stapte fier en rechtop door de opening van de kamerdeur, haar blik even gericht op haar moeder, maar snel draaide het hoofdje in de richting van de man die haar echte vader was, de man die haar verwekt had. Kort voor mama's stem haar riep was het als een flits door haar gedachten geschoten, de man die ze zou zien had met mama samen in een bed in zijn kamer gelegen. Nu zaten die twee als volwassen mensen in de huiskamer, uiterlijk als vreemden, het was ruim achttien jaar geleden gebeurd. Nu had elk een ander leven, maar op het moment dat Marieke het vertrek binnenstapte voelde ze wel dat er een grote spanning in de ruimte hing, maar het was geen spanning geladen door vijandschap, eerder van gevoelens van de warme herinnering aan de liefde van toen. Ook gevoelens van spijt om wat gebeurd was. Marieke voelde het, maar er was geen gelegenheid erover te denken. Maar die tijd kwam wel...

Menno staarde bijna naar haar. Zijn ogen hielden haar vast, hij zag de gelijkenis, het kon niet anders, dit was een kind van hem, een dochter van hem... Hij kon geen woord uitbrengen van ontroering en verbazing. Voor hem, met een nerveus lachje op het snoetje en een uitgestoken hand, stond een kind van hem. Suzanne en hij hadden heftig verlangd naar een kind, erover gedroomd en erover gefantaseerd, maar het werd hen niet gegeven. En nu stond hier, voor hem, dicht bij hem, hij kon haar aanraken maar dat durfde hij niet, een meisje dat zijn dochter was. Zoals men soms zei 'van jouw vlees en bloed'. Dat was ze zeker, de blauwe ogen, het donkerblonde haar waarin een lichte golving was, een mooi meisje...

Langzaam, weifelend en voorzichtig was het gesprek na deze ontmoeting weer op gang gekomen.

'Menno,' had Liz gezegd, 'jij wilde mij nog een keer zien en met me praten en dat is deze middag gebeurd. We kozen elk ons eigen pad om verder te gaan in het leven,' deze woorden had ze ingestudeerd met het plan ze vlak voor het afscheid uit te spreken. Dat deed ze dus nu. 'Ik heb je verteld hoe ik het bewuste weekend heb ervaren. Ik vertelde je dat ik na die ene nacht zwanger was. Negen maanden later werd een baby geboren. Je hebt Marieke gezien. Ook Marieke gaat verder op haar eigen pad, studeren, omgaan met vrienden en vriendinnen en voorlopig nog fijn thuis in onze woning met haar vader, zusje Ineke, broertje Thomas en met mij, haar moeder.'

'Maar, maar,' had Menno stotterend geroepen, hij was van streek, hij kon haar woorden niet begrijpen, 'maar zij kan toch niet meer uit mijn leven verdwijnen nu ik weet van haar bestaan, nu ik haar gezien heb? Ik heb tegen haar gepraat en zij heeft woorden tegen mij gezegd! Zij is mijn dochter, mijn kind! En ze is toch meer mijn dochter dan de dochter van Frits! Hij heeft haar zijn achternaam gegeven, maar zij heeft mijn bloed in de aderen en ze lijkt sprekend op mij... Dat kan toch niet opeens opzij geschoven worden en voorbij zijn? Aan de kant geschoven? Denken: je hebt haar gezien, dat was voldoende, verdwijn uit haar leven, laat haar los.'

Lizzy had hem duidelijk gemaakt dat het wel haar bedoeling was en ook, dat het het beste zou zijn. De twee gezinnen, het zijne en het hare, konden niet met elkaar verbonden worden. Hij had gezegd haar één keer te willen ontmoeten en dat was deze middag gebeurd. Zij had liever de geboorte van Marieke voor hem willen verzwijgen. Dat was voor zijn gemoedsrust beter geweest en ook voor de sfeer in zijn huwelijk met Suzanne. Maar omdat Marieke één keer haar biologische vader wilde ontmoeten was deze middag daartoe de geschikte gelegenheid en die gelegenheid hadden ze waargenomen. Maar er was geen mogelijkheid met elkaar verbonden te blijven. Dat zou onvoorwaardelijk ruzie, onenigheid en verdriet brengen.

Ze had op een effen toon duidelijk gezegd: 'Er is geen andere weg dan het boek te sluiten en beiden, jij en ik, Menno, verder te gaan met het boek dat we zelf ter hand hebben genomen. Ieder verder gaan met ons eigen huwelijk.'

Toen ze de deur achter hem had gesloten, had ze het gevoel een mens te zijn zonder gedachten. Ze was volkomen leeg. Ze kon niet denken. Ze was ook zonder gevoel, zonder weten wat er gebeurd was. Zo ging ze terug naar de huiskamer.

'Mam, mijn mammie,' riep Marieke, ze liep naar haar moeder toe en Liz sloeg haar armen om het kind heen. Marieke huilde. 'Mam, ik lijk zo op hem! Ik voelde hem direct als mijn vader, het was vreselijk! Zijn ogen en mijn ogen zijn hetzelfde blauw! Mensen zeggen me vaak dat ik mooie, echt blauwe ogen heb. Hij heeft ze ook! En het haar, misschien is mijn haar iets donkerder, maar er zit dezelfde slag in als in zijn haar! Ik kan niet geloven wat er deze middag is gebeurd.' Ze liet haar moeder weer los en strompelde naar de bank. Liz ging in een stoel zitten.

'Ik ben volkomen uitgeput,' zei ze. 'Ik gaf toestemming voor dit bezoek en ik deed het eigenlijk alleen voor jou. Voor Menno was het beter geweest niets te weten. Jij wilde je vader zien, je wilde weten hoe hij eruitziet. Want, zei je, ik kan mezelf bij elke man die ik tegen kom afvragen of hij misschien mijn vader is. Bij die woorden dacht ik: als je hem ontmoet, als je hem ziet, mijn lieve dochter, weet je na één blik dat hij het is. Deze man is je echte vader, je biologische vader, ook al heb je verder dan dat weten geen binding met hem. Ik begreep dat je hem één keer wilde zien. Maar aan die ene afspraak was voor mij wel verbonden dat ik hem over jou moest vertellen. Hij wist niet van mijn zwangerschap.'

'Ja, dat was eraan verbonden, mam. Het was een heftige schok voor hem dat te horen. Dat begrijpen jij en ik en nog groter werd de schok voor hem mij de kamer te zien binnenkomen. Hij had net gehoord over jouw zwangerschap, achttien jaar geleden. Hij kon dat weten nog lang geen plaatsje geven in zijn gedachten of daar kwam het kind dat toen geboren werd als een jonge meid van achttien de kamer binnen en ze zei: "U bent mijn echte vader, ik zie het aan uw blauwe ogen".'

Marieke had deze woorden bewust op een lichte toon uitgesproken. Ze deed dat om mama te helpen, want ze wist hoe de gebeurtenis van deze middag haar moeder had aangegrepen. Ze stond op van de bank en liep naar haar moeder toe. Ze ging voor Lizzy op de grond zitten. 'Mam, ik begrijp een heel klein beetje hoe moeilijk dit alles voor je is. Je deed het in de eerste plaats voor mij en ik ben daar blij mee, want ik heb mijn biologische vader gezien. Dat woord schept voor mij meer afstand tussen hem en mij dan: mijn echte vader... Hij is mijn echte vader niet. Dat is papa.' Ze keek naar het gezicht van haar moeder. Het was bleek en er rolden tranen over haar wangen. Marieke praatte verder: 'In zijn eerste reactie bracht hij naar voren dat hij niet wil dat het bij deze ene ontmoeting blijft, maar mam, ik denk, dat als hij alles heeft overdacht en met zijn vrouw heeft besproken, zij samen zullen beslissen dat het beter is mij los te laten. Jij bent mijn moeder, papa is mijn vader, ik houd van hem en ik ben blij met hem; het zal niet verstandig van hen zijn druk op mij uit te oefenen. Tot die conclusie zullen die twee wel komen...'

Deze woorden van Marieke kwamen nu, laat in de avond, weer naar haar toe. Ze was alleen in de kamer. De woorden van dit gesprek met haar dochter dwarrelden op haar neer alsof het blaadjes waren waarop de woorden en gedachten van deze middag waren geschreven. Ze zweefden om haar heen in de storm die in haar hoofd woedde, ze daalden neer en ze kon ze zien en lezen... Ze wilde ze zien en lezen, ze wilde ermee bezig zijn...

Ze keek naar de klok. Het was al heel laat. Ze moest de twee schermerlampen uitknippen en naar boven gaan. Frits wachtte op haar, dat wist ze zeker. Hij ging niet slapen voor hij haar dicht tegen zich aan had gehouden en haar met lieve, zachte woordjes probeerde te helpen en te troosten. Frits, haar man, de man waarvan ze hield.

De slaapkamer was zacht verlicht. Frits lag in het bed. Hij keek naar haar toen ze de kamer binnenstapte. Hij ging rechtop zitten.

'Lieveling, kom bij me. Kleed je uit, maar laat voor vanavond de smeerseltjes en crèmes maar zitten. Er zijn belangrijker dingen.'

Ze kleedde zich uit en kroop naast hem. Zijn arm sloot om haar heen. 'Het is al laat, er is zoveel gezegd, maar één ding, mijn vrouwtje, wil ik toch graag weten voor we proberen te slapen.'

'Vraag maar,' zei ze met een lachje, 'we hebben alle drie vragen, Marieke, jij en ik.' Ze wilde eraan toevoegen: en ik weet ook zeker, Menno Bouwsma en zijn vrouw Suzanne, maar die woorden hield ze voor zichzelf en sprak ze niet uit.

'Menno zal jou gevraagd hebben waarom je die bewuste woensdag niet naar hem toe bent gegaan. Jij hebt hem daarop geantwoord dat jij over het verloop van die zaterdag hebt nagedacht en tot de conclusie was gekomen dat hij je in zijn bed heeft gelokt. Wat was zijn antwoord daarop?'

Ze lachte een cynisch lachje. 'Hij zei natuurlijk niet dat wat ik erover had gezegd de waarheid was! Natuurlijk niet. Hij zei dat hij veel van me hield en hij had zich, door die warme liefde, niet kunnen beheersen en daarom is het tot het gebeuren gekomen. Hij praatte ook nog over de jonge man die hij toen was. Ik weet nu, volgens Menno dus,' ze lachte naar Frits, 'nu ik getrouwd ben, dat het verlangen naar de vrouw waarvan een man houdt, hem alle wetten en afspraken kan doen vergeten...'

'Ik verwachtte geen ander antwoord. Ik zou ook niet weten welk ander antwoord hij kon verzinnen. Wat hij in dit geval ook als de waarheid weet. Dit is het enige wat hij kon zeggen. Lieveling, probeer alles een paar uren los te laten. Je bent moe, mogelijk val je in slaap als je alle gedachten, aan wat deze middag is gepasseerd, kunt loslaten. En besef ook, mijn vrouwtje, dat er wezenlijk niets is veranderd. Jij en ik, en onze kinderen zijn en blijven bij elkaar. Marieke heeft haar biologische vader gezien, ze wilde dat. Het gebeuren zal haar enige tijd bezighouden, maar dan neemt het gewone leven ook voor haar de draad weer op. De studie, het eindexamen, de vrienden en vriendinnen. Het weten van de biologische vader blijft, ze wist allang van hem, maar ze had hem nog nooit ontmoet. Nu heeft ze een beeld van hem. Maar dat zal snel naar de achtergrond dringen. In het leven van een jong meisje zijn zoveel andere dingen die belangrijk zijn. En Menno en Suzanne, ik noem hun namen alsof het goede kennissen van ons zijn, maar zo is het beslist niet, Menno en Suzanne zullen besluiten los te laten wat vanmiddag gepasseerd is. Het kan hun leven alleen moeilijker en beroerder maken.'

Lizzy knikte, haar hoofd op het kussen. 'Zo zal het gaan,' zei ze met een zwakke stem, 'ik ben zo moe, Frits, ik ben zo moe van alles. Ik wil graag slapen. En vergeten.'

De volgende morgen rond halftien was het stil in het huis. Frits was tegen halfnegen in zijn auto gestapt en naar kantoor gereden. Hij werkte nog steeds bij Hooyman en Frederikson, want het beviel hem daar uitstekend. Prettige collega's en een goed salaris. Hij was van de afdeling loonadministratie overgestapt naar de grote kantoorruimte waar de cijfers van de totale administratie van het bedrijf 'over de machines trippen,' zoals Frits dat noemde. Marieke en Ineke waren met een zware tas, stevig op de bagagedrager van hun fiets gesjord, naar het Erasmuscollege vertrokken. Thomas zat nu in groep acht van basisschool De Drempel.

Liz had geen zin iets te doen. Bovendien verwachtte ze een telefoontje van haar moeder met het bericht 'Ik kom naar je toe, kind. Zet maar koffie.' Het was volkomen begrijpelijk dat mama wilde weten hoe de vorige middag was verlopen. Mama en zij hadden alles wat in de voorbije jaren in hun leven was gebeurd samen doorgemaakt. De moeilijkheden met man en vader, zijn sterven, haar korte vriendschap met Menno en het gevolg daarvan: een zwangerschap. Haar moeder had erop aangedrongen dat ze Menno over de komende baby vertelde. Hij was toch de vader van het kind, maar toen zij dat beslist niet wilde — geen Menno Bouwsma in haar leven – drong Nadine daar niet verder op aan. Ze wist hoe moeilijk een ongelukkig huwelijk kan zijn. En als Liz met zo'n start moest beginnen kon het nooit goed gaan...

De telefoon rinkelde. 'Ik kom naar je toe... Je bent alleen thuis?'

'Ja, mam, ik zet het koffiezetapparaat aan.'

Nadine van Westen parkeerde een kwartier later haar kleine, rode Volvo voor het huis.

'Lieverd, ik heb gistermiddag in de kamer gezeten, nietsdoen, de handen in mijn schoot en in gedachten was ik hier met de grote

vraag: hoe verloopt deze middag... Jij zag Menno weer en we kunnen eerlijk tegen elkaar zijn, dat zijn we altijd geweest, je was destijds dolverliefd op hem en je hield van hem.'
Echt mama, thuis een inleiding in gedachten nemen om het gesprek mee te beginnen. Maar Lizzy luisterde geduldig. Ze begreep heel goed dat de ontmoeting van gistermiddag ook in haar moeder een grote spanning had gebracht. Nadine praatte verder: 'En dan Marieke, het lieve kind wilde haar biologische vader zien, één keer was genoeg, zei ze. We hadden daar begrip voor. Frits en jij en ook Hans en ik, hoewel Hans tijdens het praten erover naar voren bracht dat het middagje nare gevolgen kan hebben. Het beste was, ik hoor het hem nog zeggen, alles te laten zoals het is, de deur dichthouden, en dat was waarschijnlijk ook het beste. Jij vond dat het niet kon. Het was voor Marieke toch haar 'roots' willen kennen, de vraag 'wie heeft me verwekt' en ze zal verbaasd zijn geweest bij het zien van de man die haar echte vader is. Want, dat heb je altijd verteld en dat zal dus ook zo zijn, ze lijkt op Menno... En dan Menno zelf. Hij wist niet van een zwangerschap, van achttien jaar geleden. Hij ging dus gistermiddag op pad met het gevoel een vriendinnetje van vroeger te ontmoeten, leuk even bijpraten en herinneringen ophalen, maar niet weten welke verrassing hem te wachten stond. Lizzy, lieverd, hoe ging het?'
Lizzy lachte naar haar moeder. 'Mam, je legt meteen de hele gebeurtenis van gistermiddag voor ons neer. Ik zal er rustig over vertellen. Niet uitgebreid, dat is niet nodig. We kennen allebei de feiten. Menno vroeg me waarom ik op de woensdagavond van onze afspraak niet naar de Willem de Zwijgerlaan ben gefietst. Je knikt, je begrijpt dat dit een belangrijk punt is in het hele verhaal. Ik zei hem dat ik na het voorbije weekend van toen, in mijn gedachten de revue had laten passeren, dat ik naar alles wat gebeurd was met open ogen heb gekeken en erover heb nagedacht en dat ik er toen van

overtuigd was dat hij me in zijn bed had gelokt. Hevige verbazing natuurlijk bij Menno Bouwsma. Hoe kwam ik daar nou bij? Nee, zo was het natuurlijk niet geweest! Hij wilde, dat begrijp jij wel, nu niet zeggen, tijdens dit middagje van genoeglijk met elkaar praten, zijn vrouw heeft het georganiseerd, wij haalden herinneringen op en lachten samen, dat hij me toen willens en wetens in zijn bed had gelokt en dat het hem gelukt was! Hij ontkende in alle toonaarden. Welnee, hoe kwam ik daar nou bij? Maar hij was zo verliefd, zijn mooie Lizzy dichtbij hem, hij hield van me... En ik moest nu, als getrouwde vrouw, ik heb ervaring met een man, toch weten hoe een man naar een vrouw kan verlangen...'

'Ja, ja,' zei Nadine, 'ik herken veel in die woorden...'

'Toen heb ik hem verteld dat ik na die ene nacht zwanger was. Mam, hij schrok zo vreselijk, zijn ogen staarden me aan, zijn gezicht werd bleek. Ik verwachtte natuurlijk dat het nieuws hem zou overvallen, dat kon niet anders, maar Menno was volkomen van de kaart. Hij wist niet wat hij moest denken, ook niet wat hij moest doen. Hij kon niets doen. Hij zat in de stoel, een beetje onderuit gezakt, en hij bracht de eerste minuten geen woord uit. Toen de waarheid van mijn woorden goed tot hem was doorgedrongen vroeg hij waarom ik het hem niet had verteld. Er was toch, hoe dan ook, een oplossing gekomen?! Zijn ouders en mijn moeder hadden hun handen naar ons uitgestrekt om te helpen, maar hij begreep na wat ik vertelde over mijn gevoelens van die nacht, dat ik hem niet meer wilde... En, dat bracht hij naar voren, het weten wat mijn vader met mijn moeder had gedaan om haar in zijn huwelijksbootje te krijgen had voor mij beslist een rol gespeeld. Toen vroeg hij hoe de zwangerschap was verlopen. En ik antwoordde, ik hoor mezelf nog de woorden uitspreken, het ging op een vlakke toon, ik trilde van spanning, maar dit moest gebeuren, ik zei: "Het is een meisje. Ik heb haar Marieke genoemd. Frits is haar wettige vader." Dat voegde ik ertussen, dat moest hij weten. Toen zei ik: "Ik zal haar roepen. Ze wil je één keer ontmoeten." Ik liep naar de kamerdeur en ik riep Marieke... Ze kwam de kamer binnen en Menno zag haar. Ik had op dat moment echt medelijden met hem, want het kon niet anders dan dat hij zijn evenbeeld in haar zag... De blauwe ogen, de vorm van het gezicht, de neus, het donkerblonde krullende haar... En hetzelfde gold voor Marieke. Ze wilde weten hoe de man eruitziet die haar heeft verwekt, nou, zo dus... Ook blauwe ogen, krullend haar, een mooie neus...'

'Kind, het moet een vreselijke middag voor jou zijn geweest.'

'Ja, dat was het zeker.' Liz stond op. 'Ik schenk nog een kopje voor ons in.' Ze liep naar de keuken. Terug met de koffiepot in haar handen schonk ze de kopjes vol.

'En, mijn lieverd, hoe gaat het nu verder...'

'Toen Menno enigszins tot rust was gekomen, maar meer dan enigszins was het natuurlijk niet, dat kun je je wel voorstellen, zei hij dat hij contact met Marieke wilde houden. Zij was zijn dochter, er was een verbond tussen hen... Ik kan me de woorden die gezegd zijn niet één voor één precies meer herinneren, maar je snapt in welke richting het ging. Ik bracht heel strak en direct en duidelijk naar voren dat dat beslist niet de bedoeling van deze middag was. Hij wilde mij nog één keer zien en spreken en Marieke wilde haar biologische vader zien. Alleen om te weten hoe hij eruitzag, daarvoor was dit middagje georganiseerd. Deze twee zaken hadden plaatsgevonden, nu was het voorbij. Hij en ik gingen verder met de levens die we gekozen hadden. Hij met Suzanne en ik met Frits en onze kinderen.' Nadine knikte. 'Hoe ging het verder? Hoe verliep de middag na jouw woorden?'

'Menno maakte geen aanstalten om op te stappen. Hij wilde meer bereiken ten aanzien van Marieke. Hij wilde niet weg, waarschijnlijk was hij ook zo overdonderd door wat er gebeurd was dat hij geen fut had om op te staan en weg te gaan. Het was intussen halfvijf geworden. En Frits, die op normale werkdagen niet voor zes uur, halfzeven thuis is, was eerder van kantoor gegaan. Het was voor hem natuurlijk ook een enerverende middag. Hij had voorgesteld vrije uren op te nemen, vooral om mij terzijde te staan. Je weet hoe Frits is, zorgzaam en willen helpen, maar ik wilde niet dat hij bij het praten tussen Menno en mij zou zijn. En ook de confrontatie tussen Menno en Marieke wilde ik zelf laten plaatsvinden, ik ben tenslotte de moeder van het kind. De aanwezigheid van Frits zou Menno hinderen bij het uitspreken van zijn gedachten en gevoelens en juist die gedachten en gevoelens wilde ik graag horen. Nou, 'graag' is het goede woord niet, maar het was wel zo dat ik de juiste woorden van hem over 'toen' wilde horen.

Frits kwam dus om halfvijf. Ik stelde de mannen aan elkaar voor. Dat gaf me een heel vreemd gevoel, de heerlijke middagen met Menno nog weten en daarnaast Frits zien, de man die altijd naast me staat. Die er altijd voor me is. Menno keerde zich tot Frits en praatte in bewogen woorden over zijn verlangen contact met Marieke te houden, maar daar wilde Frits niets van weten. Wij, Frits, Marieke en ik, hadden voor deze middag duidelijk afgesproken dat het een éénmalige ontmoeting zou zijn. Dat gebeurde met veel uitleg van Frits en van mij naar Marieke toe, uitgebreid vertellen en waarschuwen dat verdere toenadering van haar biologische vader grote onrust in onze levens zou brengen. Marieke begreep dat volkomen. Maar over zoiets praten, met z'n drietjes bij elkaar in de knusse huiskamer en het volkomen met elkaar eens zijn, de ontmoeting had nog niet plaatsgevonden, de emotie was er wel, maar was nog niet naar buiten gekomen, is anders dan het in werkelijkheid meemaken. Het ondergaan. Er na het gebeuren over praten. Maar ik ga eerst terug naar de middag van gisteren, mam.'

Nadine knikte alleen. Niets zeggen, niet onderbreken, alleen luisteren.

'Een kwartier nadat Frits was thuisgekomen stond Menno op. Ik wilde met hem meelopen naar de voordeur, maar ik was ervan overtuigd dat er dan in de hal woorden tussen hem en mij uitgewisseld zouden worden waarmee ik me geen raad wist. Ik was hypernerveus en ik wilde dit er niet bij hebben. Ik was bang het niet aan te kunnen. Frits voelde dat en hij zei dat hij met het bezoek van deze middag naar de voordeur zou lopen. Die twee hebben in de hal niets tegen elkaar gezegd. Frits kwam dus snel de kamer weer binnen. Intussen waren Ineke en Thomas thuisgekomen. De één was na schooltijd met een vriendinnetje meegegaan, de ander met een vriendje. Ineke weet van de situatie, niet tot in details, maar ze weet wat er aan de hand is. Daarna hebben we het onderwerp even aan de kant geschoven. Ik had in de morgen een ovenschotel klaargemaakt. Ik ben toch een goede huisvrouw met een vooruitziende blik en ik zette deze dag een gemakkelijke maaltijd op tafel. Gedurende de maaltijd is de naam Menno niet genoemd. In de avond wel. Ineke zocht haar kamer op om huiswerk te maken en Thomas ging naar Robbie, de zoon van onze buren. Je kent Robbie wel. Rood haar en grijze ogen.

We zaten bij elkaar en eigenlijk durfden we er geen van drieën over te beginnen. De middag was voorbij, dit moest vergeten worden, het boek sluiten en wegzetten in de kast. Maar zo simpel was het natuurlijk niet.

Marieke vroeg mij hoe ik deze middag had ervaren. Het moest voor mij, vermoedde ze, een emotionele gebeurtenis zijn geweest de man te ontmoeten die mij als jonge vent naar zijn studentenkamer lokte om met me te vrijen. En een stap verder te gaan dan alleen maar vrijen.

Daarover praatten we een poosje door, maar toen kwamen de woorden waarom het in de hele geschiedenis draait. Ik hield vol dat ik er toen van overtuigd was, en dat ik er nog van overtuigd ben, dat

Menno me in de val heeft gelokt. Hij beweerde dat hij verliefd op me was en dat hij zich niet had kunnen beheersen toen ik laat in de avond nog bij hem in het studentenvertrek verbleef. Daarop nam Frits het woord en hij zei dat hij ervan overtuigd was dat ik de waarheid sprak. Maar hij geloofde wel dat destijds voor mij de herinneringen aan mijn vader in mijn denken een rol hadden gespeeld. Hoe die man handelde ten opzichte van mijn moeder, van jou dus, en ik, meisje van achttien, wilde beslist geen man die ook maar iets van de gedragingen van mijn vader zou hebben. Voor Frits bleef vaststaan dat ik ervan overtuigd was geweest dat Menno mij had verleid. Frits heeft het gebeuren van toen van heel nabij meegemaakt. Hij vertelde mij over zijn liefde ik moest hem diezelfde avond vertellen dat ik zwanger was van een jongeman die ik nog maar kort kende...'

Nadine had tot nu stil geluisterd. Nu vroeg ze: 'Lizzy, ik ben je moeder, er is altijd een buitengewoon goede verstandhouding tussen ons geweest. Ik had geen geheimen voor jou en jij had geen geheimen voor mij. Nu vraag ik je: ben je er nog van overtuigd dat Menno jou destijds min of meer heeft verkracht?'

In Lizzy flitsten de gedachten snel. Ze keek haar moeder recht aan en ze antwoordde: 'Ja, daar ben ik nog altijd van overtuigd. Menno heeft gistermiddag gezegd dat het niet zo was. Wij samen hebben daar al over gesproken, maar hij kon natuurlijk niet anders dan dat zeggen. Hij wilde mij zien en dat zou niet gaan als hij hier, in mijn huiskamer, zijn waarheid zou neerleggen dat hij mij, om het maar ordinair te zeggen, destijds te grazen had genomen...'

Lizzy's gedachten gingen terug naar de tijd die ze doorbracht met Menno Bouwsma.

Bij de eerste woorden die Menno en zij met elkaar wisselden, was zijn vraag gekomen hoe ze heette en waar ze woonde, maar ze vond het toen niet nodig hem dat te vertellen. Nee toch? Hij was een nog volkomen vreemde jongen voor haar. Ze vond het een aardige jongen, ook om te zien was hij aantrekkelijk, maar ze wist nog niets van hem. Hij hoefde niets van haar te weten. Ze had wel haar echte voornaam genoemd, Liz, maar de achternaam Van Heemskerk verwisselde ze voor Verhagen en de laan waarin ze woonde had ze de Frederikslaan genoemd, terwijl mama en zij al jaren in de Lindenbergstraat woonden... Dit snelle besluit van antwoorden was mogelijk voortgekomen uit de wijze lessen van haar vader, één van die lessen was de raad niet te snel je persoonlijke gegevens prijs te geven.

Na het nare weekend, het weekend waarin te veel was gebeurd, zou Menno haar misschien zoeken, want nog zo'n weekendje leek hem plezierig, maar hij zou haar niet vinden...

Er was een nare tijd gevolgd. Weten van het verwachten van een kind, weten dat er geen vader in zijn of haar leven zou zijn, maar zij, moeder Nadine en de vriend van mama, Hans van Westen, namen het besluit alles wat stond te gebeuren over zich heen te laten komen en het zo goed mogelijk op te lossen...

Ze was met Frits de Winter getrouwd. Frits werkte op hetzelfde kantoor als zij, ze waren goede collega's geweest, ze werden vrienden. Frits was al langere tijd verliefd op haar en in haar groeide voorzichtig en langzaam een gevoel van warmte voor deze blonde jongeman. Kort na de geboorte van haar dochtertje trouwde ze met Frits, en Marieke heette nu officieel Marieke de Winter. Vier jaren na de geboorte van Marieke was hun tweede dochter geboren, Ineke, en weer drie jaren later hun zoon, Thomas.

2

DE DINSDAGMORGEN NA DE 'NARE DINSDAGMIDDAG', ZOALS LIZZY DIE
dag een aanduiding had gegeven, was Marieke de twee eerste les-
uren vrij. Maar ze benutte de vrije uren niet om langer te kunnen
slapen. Ze was al beneden toen de grote tafel in de keuken gedekt
stond voor het ontbijt, want ze wilde met haar moeder praten.
Nu, een uurtje later, zat ze met opgetrokken benen op de bank. Ze
dronk met kleine slokjes van de warme chocolademelk die Lizzy
voor hen beiden had gemaakt. Het was te vroeg voor koffie, maar
Liz meende dat bij praten drinken op tafel moest staan.
'Mam, ik riep vorige week dinsdag, nadat Menno Bouwsma ons huis
had verlaten, dat het een rotvent was en dat ik hem nooit meer
wilde zien en ik had nog meer lelijke woorden voor hem in voor-
raad, want hoe je het ook wendt of keert, hij heeft jou heel lelijk
behandeld en daar was ik boos over. Maar nu is er een week voorbij
gegaan en ik heb veel over de hele geschiedenis gedacht. Dat snap je
wel. Het laat jou niet los en het laat mij niet los. En eigenlijk is het
nu zo, mam,' ze zette de nog halfvolle beker op de tafel, 'dat ik toch
wel contact met hem wil. Er is iets in hem wat mij aantrekt. Ik vind
het een sympathieke man. Dat gevoel houdt misschien verband met
de wetenschap dat hij mijn echte vader is. Er is een verbintenis tussen ons. Misschien komt het omdat ik op hem lijk. Ik schrok toen ik
zijn ogen zag. Het was alsof ik in een spiegel mijn ogen zag. Bij hem
was er die middag,' Marieke lachte even ondanks de ernst van hun
onderwerp bij deze woorden, 'een oprechte blik van verwondering
en verbazing in. Als ik die blik moet beschrijven zou ik zeggen: hij
dacht: Mijn hemel, wat is dit! Wat gebeurt hier!
Ik weet niet hoe papa en jij erover denken, nou, niet weten is
natuurlijk onzin, want jullie hebben me al een paar hints in jullie
richting gegeven. Als er contact blijft tussen hem en mij kan er veel

narigheid uit voortkomen. Verdriet, spijt, noem maar op. Het voorstel van papa alles van die de dag over ons heen te laten komen, was verstandig. Pap en jij en ik wisten wat er ging gebeuren. Jij vertelde hem over zijn grote dochter. Ik kwam de kamer binnen nadat jij mijn naam had geroepen. Hij zag zijn kind waarvan hij tot dat uur niet had geweten en ik zag mijn biologische vader. Nu ik het zo vertel lijkt het een kleine handeling. Ik loop de trap af, ik open de kamerdeur, ik stap binnen en ik zie mijn biologische vader... Maar het was een heel moeilijke confrontatie voor me. Ik heb de hele nacht over wat gebeurd was gedacht. Ik kon niet slapen, ja, een uurtje, van drie tot vier uur in de morgen, de rest van de nacht lag ik wakker. Ik vroeg me af: hoe moet dit verder, hoe gaat dit verder, hoe wil ik verder? En de vraag die daarbij hoort: wat wil hij? is totaal overbodig, want in de blik waarmee hij me aanstaarde, ondanks dat de hele opvoering hem volkomen overviel, die blik zei me direct dat hij me niet wil loslaten. Dat heeft hij ook gezegd.'

'Ik begrijp, lieverd, dat je, nu je hem hebt gezien en met hem hebt gesproken, ook al waren het maar weinig woorden, je meer van hem wilt weten.

Maar ik wil nog iets zeggen voor jij verder praat. Een uitstapje maken naar een ander onderwerp, maar het hoort wel bij deze geschiedenis. Ik ga met je terug naar de dag waarop papa en ik je vertelden over wat voor en na je geboorte plaatsvond. Je was tijdens dat gesprek tien jaar. Nog echt een kind. In jouw klas waren drie kinderen die grote moeilijkheden hadden. De vader van Jetske had echtscheiding aangevraagd, haar moeder wist zich geen raad met de situatie en Jetske zat dikwijls met tranen op haar wangen in de klas. Meester Reigersma heeft eens gevraagd of ze naar huis wilde en toen riep ze luid: "Nee, nee, niet naar huis!" Jij kwam na schooltijd overstuur thuis. En één van de jongens, ik weet zijn naam nog, Harco van Meerdervoort, hoorde ongeveer in diezelfde tijd van zijn ouders dat hij niet hun eigen zoon was, maar dat hij als klein manneke als pleegkind in het gezin was opgenomen. En dan Greetje de Wit. Zij had wel een moeder, maar geen vader. Die vader was niet overleden, met dat feit zouden jullie redelijk kunnen leven. Het is iets wat een gezin kan overkomen, aan een overlijden is een vader of een moeder niet schuldig. Wat er aan de hand was met de vader van Greetje kwamen jullie niet aan de weet.

Jij vroeg ons, ik herinner het me nog heel goed, of bij ons alles wel normaal was en daarop antwoordde ik: "Nee, eigenlijk niet."

Dat was de aanleiding jou te vertellen over papa en je echte, je biologische vader. Je hoorde het verhaal aan en je riep: "Wat een nare vent was dat om jou zo te pakken te nemen!" Je wist volgens mij niet eens waarover je het had, maar door de manier waarop wij het je vertelden was het je toch duidelijk geworden. Je voegde er nog bij, met een boos smoeltje en een luide stem: "Ik wil nooit, nooit iets over hem horen!" Woorden, een beetje vergelijkbaar met die welke je na je eerste ontmoeting met hem hebt geroepen. Je zegt nu, dat je er inmiddels anders over denkt. Dat is logisch en dat begrijp ik. Je wilt erover praten en dat gebeurt ook.

Ik wil voor we hierop doorgaan nog iets op tafel leggen, omdat ik wil dat jij ook in deze richting denkt. Het gaat niet over ons gezin. Wij vinden zeker een oplossing, wat er in de toekomst ook gebeurt. Lieverd, ik maak me zorgen over de vrouw van Menno Bouwsma. Wat is er sinds dinsdagmiddag, nadat hij overstuur, gespannen en waarschijnlijk verdrietig thuis is gekomen en haar heeft verteld wat die middag allemaal over hem heen is gekomen en wat hij nu weet, gebeurd? Lizzy, zijn vriendinnetje van vroeger, die Suzanne voor hem heeft opgespoord, heeft een dochter, een flinke meid al, achttien jaar en die dochter is van Liz en van hem... Een kind waarvan hij niet wist en waarover hij dus tot die dinsdagmiddag nooit iets heeft gezegd. Hoe zal het gesprek tussen Menno en zijn vrouw zijn gegaan? Ik ben ervan overtuigd dat het ook voor haar heel moeilijk is geweest. En ik denk nu niet in de eerste plaats aan Menno, maar juist aan Suzanne. Zij zocht mij om haar man een pleziertje te doen, want meer was de bedoeling niet. Maar wat er komt nu tevoorschijn? De sfeer in hun huis kan zorgelijk zijn en de gebeurtenis kan een breekpunt zijn in hun huwelijk.'

'Mam, alsjeblieft, wat haal je er nu aan overdreven sentimentele dingen bij! Elke vrouw die zich uitslooft om een liefje uit de jonge jaren van haar man terug te halen op het toneel van nu, moet er toch bij nadenken dat het oude vlammetje weer kan oplaaien? Je kent het gezegde: oude liefde roest niet! Tussen zijn vrouw en hem zijn misschien af en toe heftige meningsverschillen. Ik zal het geen ruzies noemen, maar met dat meisje van toen, nee, daar had hij nooit onenigheid mee. Zij was altijd lief en volgzaam. Ik snap ook niet waarom die Suzanne Bouwsma de speurtocht is begonnen. Ik ben nu achttien, ik heb geen ervaring in de liefde, maar ik kan op mijn vingers natellen dat er veel narigheid uit voort kan komen. Ik zal nooit zo dom zijn aan zo'n avontuur te beginnen. En dat jij je nu zorgen maakt over Suzanne Bouwsma... Ik begrijp jouw vraag aan mij na dit vertellen. Jij wilt dat ik in verdere acties rekening houd met haar huwelijk... Maar dat is voor mij beslist niet belangrijk in de hele geschiedenis. De hoofdpersonen in dit gebeuren zijn Menno Bouwsma, jij en ik. Het gaat ons in de eerste plaats aan. Het speelde in onze levens en daarin speelt het nog. Er zijn beslist mensen nauw bij deze gebeurtenis betrokken; ik wil het nog geen drama noemen,' weer een snel lachje van Marieke, 'maar het kan wel op een drama uitlopen. Die mensen kunnen in problemen komen als dit, op welke manier dan ook, uit de hand loopt. Ik weet nog niet hoe het zou kunnen gebeuren, maar de mogelijkheid is er zeker. De eersten, die dan slachtoffer worden zijn papa, Ineke en Thomas. Mam, houd dat goed in de gaten... Je vraagt nu aan mij of ik bij mijn plannen rekening wil houden met Suzanne Bouwsma. Waarschijnlijk denk je er stilletjes bij: laat het voor Menno ook goed aflopen... Jij maakt je zorgen over hun huwelijk. Het is beter te denken over wat hij jou heeft aangedaan! Het is voor jou en mij goed afgelopen. Jij hebt het fijn met papa en ik ben blij met de vader die hij voor mij is, niets aan de hand dus. Maar door dit zoeken van Suzanne kunnen gevoelens uit de put van achttien jaren opgediept worden waarvan de eindrekening nog niet vaststaat. Jij kunt opeens toch weer iets in Menno zien. Je hebt nu begrip voor zijn handelen van die nacht, maar vergeet niet dat juist dat handelen van hem jullie uit elkaar heeft gedreven. Weg grote liefde. Je wilde een jongen met die streken niet... Denk niet dat ik, na dit gepraat, me zorgen maak over toestanden die uit de hand kunnen lopen in onze naaste omgeving, papa en jij bijvoorbeeld. Maar ik wil je erop wijzen dat jij niet moet waken over de toekomst van Suzanne en Menno Bouwsma. Menno legde destijds de basis voor al deze ontwikkelingen en Suzanne stak kort geleden een vuurtje aan waarvan ze kon verwachten dat het een flinke brand zou kunnen veroorzaken... Waarschijnlijk overdrijf ik met al deze woorden en dat hoop ik natuurlijk, maar mam, je moet alles wel in de juiste verhoudingen zien...'

'Lieve schat, nuchter gesproken heb je volkomen gelijk, maar het houdt me toch bezig. Ik vraag me af wat na de thuiskomst van Menno in hun huiskamer is besproken. Zij verwachtte een man die vertelde leuke herinneringen met het vriendinnetje uit zijn jonge jaren te hebben opgehaald, "leuk, Suzanne, we hebben gepraat over de gezellige middagen in de binnenstad..." En zij, blij omdat zij het voor hem had georganiseerd, zou met hem meelachen. Maar in werkelijkheid kwam hij volkomen overstuur en vol onbegrip over wat hij gehoord en gezien had hun kamer binnen... Het moet voor Suzanne een vreselijke schok zijn geweest alles te horen. Ik heb medelijden met haar.'

'Mam, je plaatst jezelf in haar situatie, je gaat uit van de veronderstelling dat zij die middag dacht wat jij in zo'n geval zou denken. En je moet er niet boos om worden, wij praten eerlijk en open met elkaar, maar ik vind dat je te veel de zo begrijpende vrouw wilt uithangen! Maar zo hoeft het helemaal niet gegaan te zijn! Misschien is ze blij te horen dat Menno een dochter heeft. Zij heeft jarenlang verlangd naar een kind, misschien wilde ze graag een dochter en nu blijkt dat Menno een dochter heeft! Stel je voor dat het meisje bij hen kan komen, in hun huis wil wonen...'
'Lieverd, Marieke, alsjeblieft, praat niet zo, dat is toch onmogelijk! Jij bent onze dochter, jij woont in ons huis en dat blijft zo. Ik praatte met je over Suzanne om je erop te wijzen dat je, wat je ook gaat doen, rekening zult moeten houden met de mensen die om deze geschiedenis heen staan en er geestelijk door gedupeerd kunnen worden. Ik ga misschien een beetje ver met mijn woorden, maar ik wil duidelijk maken dat Suzanne anders kan denken dan dat jij in dit verband verwacht.'

Na de maaltijd van de woensdagavond stond Ineke snel op.
'Ik moet nog even naar Thea, dat vind je wel goed, hè mam? We moeten samen een werkstuk maken over het boek De Sluipschutter van Noeska Rozenberger. Een moord- en doodslagverhaal dus. Maar het slachtoffer wordt niet echt vermoord. Wel gewond naar het ziekenhuis en noem maar op. Thea moet de geschiedenis vertellen, gezien vanuit de gedachten en gevoelens van de moordenaar. Zij zei doodleuk tegen Vaandriks, onze leraar Nederlands, dat ze zich wel in zo'n man kon verplaatsen! Ik moet in de huid van het slachtoffer kruipen en schrijven hoe ik denk dat die man zich gevoeld zal hebben. En het einde van het verhaal, als de rechtspraak komt, moeten we samen uitpluizen om de vragen en antwoorden van de één en de ander goed in combinatie te brengen. We dachten

eerst: daar komen we nooit uit! Trouwens, de hele groep moet twee aan twee op deze manier over een boek schrijven. Maar lang niet elk stel heeft zo'n rotonderwerp als wij. Maar,' Ineke lachte opeens, 'we krijgen er wel aardigheid in! Thea kent onderhand veel termen die in zo'n stuk passen, ze heeft ze achterin haar agenda geschreven.'

'Het lijkt me een moeilijke opdracht,' zei Frits.

'Dat is het ook, pap, en we snappen niet hoe Vaandriks op dit zotte idee is gekomen. Maar, wij doen ons best. Ik moet naar Thea om over het juiste uur van de aanslag een afspraak te maken. Die sluipschutter kan niet in haar stuk om vier uur in de vroege morgen op pad gaan naar het huis van het slachtoffer om hem in elkaar te slaan als ik de misdaad precies om twaalf uur in de nacht heb neergezet. Ja, mam, ik weet al wat je gaat roepen, niet later dan halftien weer thuis!'

Nog een lachje en weg was ze. Thomas was ook van zijn stoel gegleden. 'Wat een malle werkstukken moeten ze maken! Als ik in die klas zit wil ik wel iets in elkaar draaien over een speurtocht naar een grote schat, met Rob samen komt dat wel goed, maar niet iets over een overval. Daar weet ik niets van. En daar wil ik ook niets van weten. Ineke weet er volgens mij ook niets van. Ze heeft het nog nooit meegemaakt. Gelukkig niet.' Hij was intussen bij de kamerdeur. 'Ik ga naar mijn trein. Er is gistermiddag iets vastgelopen. Toen wist ik niet precies wat er fout was gegaan, ik denk dat ik het nu wel weet...'

Frits lachte naar hem. 'Goed zo, jongen, nadenken, dan is de kans groot dat je de oplossing vindt...'

Met z'n drietjes aan tafel zei Frits: 'Ik wil iets zeggen over het onderwerp dat ons bezighoudt. Er zijn intussen veel woorden over de visite van meneer Bouwsma gezegd. Ik stel voor dat wij er de eerste dagen niet meer over praten. Dan heeft elk voor zich de tijd erover te denken, want het houdt ons natuurlijk bezig. Als we er twee dagen niets over zeggen wordt de één niet door de ander beïnvloed door een mening of opvatting. Vrijdagavond leggen we die drie zienswijzen op tafel, spreekwoordelijk natuurlijk, en dan praatten we verder.'

Marieke knikte instemmend. Over het gesprek met haar moeder van de dinsdagmorgen repte ze met geen woord. Ook haar moeder knikte instemmend naar haar vader. 'Ik vind dit een goed besluit, pap. De geschiedenis draait de hele dag rondjes in mijn hoofd. Van het begin van het gebeuren tot het eind. Ik zit steeds weer trillend van de zenuwen op mijn bed. Mama roept me, ik loop de trap af, ik stap de kamer binnen en die man zit in een stoel. Ik zie hem als de man die mijn biologische vader is en ik weet niet wat ik verder met hem moet.'

'Loslaten.' Het woord kwam Frits heel bot over de lippen. 'Er is geen andere oplossing, lieve kind. Die man past niet in jouw leven en jij past niet in het leven van die man en zijn vrouw. Welk contact er ook zal ontstaan, in emotievolle buien zou dat van beide kanten een wens kunnen zijn, maar geloof mij, het zal altijd narigheid brengen. Dat kan ik je voorspellen na de vele perikelen en toestanden waarvan ik in het leven getuige ben geweest. Het beste is over alles nuchter na te denken. Marieke, geloof me, dat is het beste. Je had die man tot dinsdagmiddag nog nooit gezien, je wist van zijn bestaan, maar meer ook niet en je leefde blij en gelukkig je eigen leventje. Nu is alles overhoop gegooid, je weet niet wat je ermee moet en de mogelijkheid ligt gevaarlijk loerend voor je om onrust en problemen in je leven te brengen. Denk goed na over wat je gaat doen. Je bent nu achttien, nog wel jong, maar je bent verstandig genoeg om de inhoud van mijn woorden te begrijpen.'

'Het is ook een wondere en moeilijke geschiedenis,' zei Liz. Ze keek van Frits naar Marieke. Ze wilde er verder niets over zeggen, dan kwamen er weer woorden op gang waarmee ze op dit moment niet verder konden. 'Het is een goed voorstel alles een paar dagen te laten rusten. Spreken we af er vrijdagavond verder over te praten? Dan is alles voor elk van ons weer een beetje tot rust gekomen.'

Frits en Marieke knikten allebei.

Donderdagmiddag rond halfdrie hoorde Lizzy de achterdeur open en weer dicht gaan. Wie kwam er binnen? Ineke en Thomas zaten tot kwart voor vier op school, het moest Marieke zijn. En dat was ook zo.

'Dag mam, ja ik ben vroeg. Engels viel uit. Mevrouw van Strien is ziek. Daarna hadden we wiskunde, maar mijn hoofd staat op het ogenblik niet naar wiskunde. Ik kan met die stellingen mijn vragen niet oplossen. Daarom nam ik het besluit: ik ga naar huis. Ik ga met mijn moeder praten. Ik weet dat we met papa hebben afgesproken morgenavond met z'n drietjes bij elkaar te gaan zitten en één voor één op tafel te leggen hoe hij, jij en ik er nu over denken, maar mam, ik wil eerst nog even met jou praten. Want ik weet nu al hoe papa op mijn woorden zal reageren. Die reactie heeft hij in het laatste gesprek al naar voren geschoven. Loslaten, geen Menno Bouwsma in mijn leven en daardoor ook niet in jullie leven. Na verloop van tijd wordt alles weer rustig in huis en gaan we verder zoals het tot nu toe ging. Maar zo zie ik het niet.'

Ze keek haar moeder aan. Liz ging niet op haar woorden in. Ze dacht: kom jij maar met je gedachten...

'Het is toch zo, mam, dat hij, en jij en ik een verbond met elkaar hebben. Vader, moeder en kind. Papa staat daar een klein beetje buiten. Ik bedoel het op het terrein van weten en gevoelens. Menno hield van jou en jij hield van hem. Het liep stuk tussen jullie, maar ik denk dat er in veel van deze gevallen toch altijd iets blijft hangen. Er zijn herinneringen die je niet kunt uitwissen. Herinneringen zijn belangrijk. Ik verwacht dat jij geen verdriet meer voelt na alle jaren die na Menno voorbij zijn gegaan. Bovendien weet je wat er is gebeurd, niet iets om in blijheid aan die jongen te blijven denken. Maar ik geloof dat sommige herinneringen diep in de menselijke ziel bewaard blijven.'

'Kind, lieverd, wat spreek jij verstandige woorden uit!' probeerde Lizzy een luchtig tintje aan het gesprek te geven, 'maar,' toch weer ernstig, want ze verwachtte dat haar dochter op een ernstig onderwerp aanstuurde, 'ik snap wat je bedoelt. We doen er papa niet tekort mee als we vaststellen dat Menno Bouwsma, jij en ik een driehoek vormen waar papa even buiten staat. Ik hoop dat je me op de goede manier begrijpt.'

'Ja. En daarom wil ik met je praten. Voor Ineke en Thomas thuiskomen.'

'Wanneer jij je jack naar de gang brengt zet ik thee.'

'Mam, ik heb gehoord wat papa en jij erover gezegd hebben. Papa is ervan overtuigd dat Menno Bouwsma niet in ons leven past. Daarom is de enige goede aanpak hem na alles wat gebeurd is los te laten. Die man kwam even om een hoekje kijken naar zijn vriendinnetje van vroeger, dat was in een sentimentele bui een verlangen. Nu zag hij haar, hij vroeg: "Is alles goed met je? Ben je blij met het leven? Ja, dat is fijn om te horen! Met mij is ook alles in orde. Nou dag, ik ga weer..." Maar zo liep het niet af. Jij vertelde hem dat je na dat weekend zwanger was. Hij schrok vreselijk van dat bericht. Dat was ook te verwachten en je voegde eraan toe dat de baby, die werd geboren een meisje was en kijk nou, ik zal haar roepen. Hier is je dochter... Ik vertel het een beetje plat, maar zo ging het. Ik stapte binnen, we hadden dit afgesproken, zo zou het gaan. Hij zag me, zijn kind, zijn dochter... Dat moment heb ik heel bewust meegemaakt. Ik heb gezien hoe het hem aangreep. Ik verwachtte niet anders en jij natuurlijk ook niet, maar ik weet zeker dat in jouw voorbereiding op die middag het verdriet en de woede om wat hij je had aangedaan, jij wilde het niet, hij deed het toch, naar buiten is gekomen. Je was heel gespannen, je stond als een wassen beeld, een bleek gezicht en strakke ogen, maar de woorden die je wilde zeggen kwamen naar buiten... In de voorbije dagen hield het beeld van de ontmoeting me vast. Ik kon en kan er niet van loskomen. De vertwijfeling op zijn gezicht, het ongeloof in zijn ogen. Ik vertel het op een dramatische toon, maar het was ook dramatisch voor die man en ook voor mij en ook voor jou. Hij zei nog, hij kon bijna geen woorden uitspreken, dat hij mij wilde blijven zien... Dat kapte je snel af. De woorden daarover waren tussen papa en jou afgesproken. Je kende ze uit je hoofd. Je verwachtte dat hij dit zou zeggen en alles verliep volgens jouw plan.

Hij is teruggegaan naar zijn huis, naar zijn vrouw, naar zijn eigen leven. Ik heb die thuiskomst in mijn bed, in het donker, voor me gezien. Ik weet niet waar hij woont, maar er zal een kamer in dat huis zijn met stoelen en een tafel en een kast tegen een muur en een lamp die in de avond aangestoken wordt. Zijn vrouw zag hem uit de auto stappen en ze zag hem naar de voordeur strompelen. Hier klopt iets niet, moet ze gedacht hebben. Ze liep hem tegemoet, ze hielp hem naar binnen en toen hij in een stoel zat, wilde ze weten wat er was gebeurd. Ze verwachtte een man thuis te krijgen die op een luchtige manier vertelde over zijn ontmoeting met zijn vroegere liefje. Zij verheugde zich op dat gesprek. Zij had het tenslotte voor hem voor elkaar gemaakt. Hij vertelde haar over de zwangerschap waarvan hij niet had geweten, en hij vertelde over het kindje dat na negen maanden werd geboren, een meisje. "Nu is ze achttien, Suzanne", ik hoorde het hem die avond in de stilte zeggen, "mijn dochter, en het is een mooi meisje...'" Marieke lachte om die laatste, door haar toegevoegde woorden. Haar moeder ging er niet op in.

'Lieverd, schat, ik begrijp dat wat die middag gebeurde je heeft aangegrepen. Het was een heel emotionele gebeurtenis. Je verlangde hem te zien en nu was het zover. Maar na wat je nu vertelt is het heftiger voor je geweest dan ik had verwacht. Je wist wat komen ging, maar toch heeft het een ontzettende indruk op je gemaakt. En ik begrijp dat jouw gedachten meer zijn uitgegaan naar hem dan naar jezelf. Hoe jij het voelde, hoe jij het onderging. En, we komen bij wat jij me wilt vertellen, hoe jij verder wilt gaan...'

Ze keek haar moeder recht aan. 'Ik kan die man niet loslaten. Hij is mijn echte vader. Ik lijk op hem, ik ben zijn kind. En ik weet ook zeker, mam, dat hij mij niet los zal laten.'

Liz knikte. En zuchtte. 'Daar ben ik ook bang voor. Ik kan het van hem begrijpen. Maar bij alles wat we in deze richting in ons hoofd halen is het belangrijk de woorden van papa vast te houden en ik ben ervan overtuigd dat zijn woorden veel waarheid in zich hebben. Zijn eindconclusie is dat er veel narigheid uit kan voortkomen. Ik kan die narigheden op dit moment niet voor ons op tafel leggen, maar als jij en ik erover nadenken kunnen we ver komen met de mogelijkheden. Harde, echt boze woorden tussen papa en mij bijvoorbeeld. Hij duldt beslist niet, na alles wat Menno mij heeft aangedaan, dat die man in onze omgeving een plekje, al is het maar een heel klein plekje, zal innemen. Menno Bouwsma vormt een bedreiging voor ons huwelijk en het is niet onzinnig dat in te zien. Er kunnen ook nare woorden tussen jou en mij komen. Jij bent mijn dochter, we houden van elkaar, maar er kan door contacten tussen Menno en jou, verwijdering ontstaan. Er zijn meer vervelende mogelijkheden op te noemen.'

Marieke had naar haar geluisterd, ze zweeg een paar minuten nadat Liz was uitgesproken. Toen zei ze: 'Het hoeft niet tot boos worden van jullie kant te komen als ik binnenkort een gesprek met mijn vader wil hebben. Jullie zijn verstandige mensen, jullie willen vrede om je heen, met zorg met je kinderen omgaan en je wilt ze niet, als ze ouder worden,' toch een lachje naar haar moeder, 'zeggen wat ze wel of niet mogen doen. En dit, met mijn echte vader praten, is geen vreemd verlangen. Als papa en jij erover denken en alles op de goede rij zetten, zullen jullie er begrip voor hebben, dat weet ik zeker. Jij in elk geval. Je hebt het Menno Bouwsma heel kwalijk genomen dat hij je die avond zo behandelde, maar je bent toch een periode met hem omgegaan. Je was verliefd op hem, in die dagen deed hij dingen die je prettig vond en jullie konden beslist goed met elkaar praten, anders was het na twee dagen al uit geweest met de liefde. Ik weet niet goed hoe ik het onder woorden moet brengen wat ik bedoel, dan kom je op het terrein van begrip voor elkaar willen hebben, van goede bedoelingen willen uitgaan. Dat zie ik voor jou wel als een mogelijkheid, jij weet dat jij en ik nooit uit elkaar kunnen gaan. Maar papa vreest dat er een breuk in jullie huwelijk komt. Wat ik wil zeggen, nu, want nog even en Ineke en Thomas komen thuis, dan kunnen we er niet meer over praten; ik wil zeggen dat ik het niet uitsluit dat tussen mijn vader en mij nog een gesprek komt. Ik wil meer van hem weten. En hij wil zeker meer van mij weten.'

Lizzy knikte. Ze begreep het kind. Het was beter er nu niets meer over te zegen. In elk geval niet tegen dit nog zweverige plannetje van Marieke in te gaan. Niet kapot maken wat nog volkomen heel is.

Vrijdagmiddag was Liz alleen in huis. Vanavond vond het gesprek plaats. Ze zag er tegenop, maar het was niet te ontwijken dat over de gebeurtenissen gesproken ging worden. En, Lizzy de Winter, geboren Van Heemskerk, wilde nu in de stilte van de huiskamer woorden uitspreken om ze duidelijk te horen. Ze kon dat doen, er was niemand aanwezig. Ze deed het ook. Ze hoorde de vastberadenheid in haar eigen, krachtige stem. Ze zei: 'Je moet vasthouden aan zoals je het de voorbije achttien jaren hebt gedacht en gezegd. Je was ervan overtuigd dat Menno Bouwsma jou in zijn bed heeft gelokt...' Opnieuw kwam de onzekerheid boven na de dinsdagmiddag. Direct na de woorden die Menno had uitgesproken over zijn zienswijze van het gebeurde groeide in haar al het weten wat ze eigenlijk al wist: Menno had gelijk. Ze was sloom en wat suf door de wijn en de warmte met hem meegegaan, ze wilde het niet, maar het gebeurde toch en nu, deze middag, over enkele minuten zou hij Marieke zien. Het was afgesproken, Marieke wachtte in haar kamer op de roep van mama... Hij zou haar zien en als Marieke hem na deze middag ontmoette vertelde hij haar zijn verhaal, het ware verhaal. Maar zij bleef volhouden dat het van hem leugens waren om zichzelf vrij te pleiten. Het was gemeen wat ze ging doen, en dat wist ze, maar ze moest zichzelf redden. Een troostend weten was dat zij tot dinsdagmiddag de overtuiging had gehad dat het tijdens die zaterdagnacht in de studentenkamer van Menno inderdaad zo was gegaan.

Na zijn woorden van dinsdagmiddag, waarin hij zei dat het zo beslist niet was gegaan, ze ging met hem mee in hun liefdesspel, ze weerde hem niet af, 'je lachte zelfs naar me toen ik je in mijn armen naar de slaapkamer droeg,' op dat moment was een groot verdriet in haar boven gekomen, snelle gedachten die flitsten. Als het waar was wat hij zei, als hij geen gemene bedoelingen had gehad, hoe anders had dan alles kunnen lopen in haar leven... Het was een groot verdriet destijds niet in Menno te hebben geloofd. De waarheid was niet direct tot haar doorgedrongen over wat gebeurd was, waarom ze dit had gedacht, maar er was wel het zeker weten dat ze toen veel had verloren. Een echte, ware liefde. Als ze Menno had verteld over de zwangerschap waren er ook moeilijkheden gekomen. Een kleine baby en hoe moest het verder? Maar Menno was de man waarvan ze hield en zij was de vrouw waarvan hij hield. Het was beslist goed gekomen. Een ander huwelijk dan haar huwelijk van nu, met Frits. Dat was een goed huwelijk. Er was ook liefde en warmte, maar er was niet het grote geluk dat tussen Menno en haar was geweest. Leven met Menno zou ook op een andere manier zijn gegaan, vrijer, minder formeel...

Ze bleef in de stoel zitten. Ze voelde zich vreemd en onwerkelijk. Even voor drie uur schrok ze uit haar overpeinzingen op door het rinkelen van de telefoon. Ze liep naar het tafeltje waarop het toestel stond en nam de hoorn van de haak. Ze meldde zich zoals ze altijd deed: 'Liz de Winter' en van de andere kant van de lijn klonk de stem die ze onmiddellijk herkende: 'Met Menno. Liz, leg niet neer, verbreek de verbinding niet. Ik wil je iets zeggen wat voor jou belangrijk is in de omstandigheden waarin je verkeert na mijn komst.' Ze was meteen na het horen van zijn stem neergezakt in de stoel die naast het telefoontafeltje stond. 'Ik weet nu waarom jij de woensdagavond van onze afspraak niet bent gekomen. Hoe je op die zotte gedachten kwam is me een raadsel, ik kan het alleen verklaren als ik alles wat je me over je vader hebt verteld eraan verbind. Angst voor jongens en mannen die meisjes en vrouwen willen veroveren. Zo noem ik het even. Je begrijpt wat ik bedoel en zo is het voor jou waarheid geworden. Toen ik je dinsdagmiddag zei dat het beslist niet de waarheid is, dat je toestond dat ik je naar het bed droeg, dat je tegen me aanhing en naar me lachte, in het kort, dat je absoluut ook zelf deelnam aan wat ik nu, dat klinkt wat jongensachtig, maar zo was het, een uit de hand gelopen vrijpartij noem.

Haar hele lichaam trilde. Ze hield met moeite de hoorn aan haar oor, maar ze moest naar hem luisteren.

'Ik wil je nu zeggen, Lizzy, dat ik over deze waarheid zal zwijgen. Dat ik jouw geheim voor jou zal bewaren. Ik kan over veel van de dingen die gebeurd zijn tijdens onze vriendschap praten, maar ik zwijg over deze waarheid. Ik doe dat tegen mijn vrouw Suzanne, tegen jouw moeder, zo ik haar ooit zal ontmoeten, tegen de man van je moeder, tegen jouw echtgenoot en, Lizzy, mijn Lizzy, tegen onze dochter Marieke... Ik heb geen zekerheid, maar ik voel dat zij contact met me zal zoeken. Ik wacht de tijd af die ik mezelf daarvoor heb gesteld. Als zij mij daarna niet opzoekt zal ik haar opzoeken. Want ik kan haar niet loslaten. Ik weet zeker dat Frits niet blij is met mijn plan. Hij is een goed mens zolang het leven om hem heen goed is. Hij wil veiligheid om zich heen. Zijn gezin is een grote, belangrijke veiligheid voor hem. Daarin mag geen mens, die er niet thuis hoort, binnendringen. Eenieder die een hand naar jou en de kinderen uitsteekt zal hij kort en goed de deur wijzen uit angst dat er dingen gebeuren waarover hij de controle kwijtraakt. Zo ongeveer ligt het. Je weet wat ik bedoel. Ik heb door de voorbije jaren in mijn werk veel mensenkennis opgedaan. Ik weet hoe Frits is. Maar hij kan mij niet tegenhouden met de dochter, die ik nu heb, die als een wonder mijn leven is binnengekomen, ik ben nog niet over de verbazing heen, contact op te nemen om haar beter te leren kennen. En als ieder mens die hierbij betrokken is het met nuchter verstand en goede wil zal benaderen, Lizzy, dan moet het mogelijk zijn. En het zal werkelijkheid worden. Als Marieke mij wil ontmoeten.

Ik sluit dit gesprek nu af. Het was een woordenstroom van mijn kant, jij hoefde alleen te luisteren. Je kunt vasthouden aan je verhaal, dat je over onze liefdesnacht hebt verteld. Ik zal er nooit een woord van ontkenning over zeggen ook al kom ik er als de nare, stoute jongen uit tevoorschijn. Liz, ik denk bij tussenpozen aan de liefde die ik voor jou heb gevoeld. Ik word dan warm en blij vanbinnen. Die warmte blijft mijn levenlang bij me, als een koestering, als een heerlijke herinnering. Ik houd van Suzanne en we hebben een fijn leven samen. Maar de dochter, die jij me alsnog hebt gegeven, Liz, laat ik me niet afnemen en ik dank je met heel mijn hart voor haar. Ik wens je sterkte in de komende dagen van praten en weer praten, want ik verwacht dat dat in de komende dagen in jullie woning gaat gebeuren. Maar jij hebt een vaste achtergrond. Ook al is die op een leugen gebouwd. Maar die leugen is van jou en van mij. We kennen nu ook beiden de waarheid. Dat is genoeg voor ons.' En zonder nog een woord toe te voegen aan wat hij gezegd had, zei hij: 'Ik denk aan je, Lizzy. Ik wens je een goed weekend.' En hij verbrak de verbinding.

Lizzy bleef stil met de hoorn in haar hand in de stoel zitten. Na ruim vijf minuten legde ze hem in een langzame beweging terug op het toestel, maar ze bleef in vrijwel dezelfde houding zitten. Om haar mond trok traag een glimlach en er kwam langzaam een heerlijk gevoel van rust in haar, ook een blij zijn met die rust. Het besef drong tot haar door dat het opzien tegen het gesprek van vanavond, langzaam weg dobberde, haar verliet, haar losliet... Ervoor in de plaats kwam het weten dat ze geen angst meer hoefde te hebben dat Frits of Marieke haar zou aanvallen over wat gebeurde in die nacht. Zij vertelde in de voorbije jaren aan hen hoe het die nacht was gegaan. Zij had het meegemaakt, zij wist wat er gebeurd was. Alleen Menno Bouwsma kon zeggen dat het niet was geweest zoals zij vertelde. Maar Menno Bouwsma belde haar om haar te zeggen dat hij haar verkeerde herinneringen daaraan, hij noemde het 'haar geheim' niet bekend zou maken. Hij deed dat onder de noemer: laat het maar zo, ik ken de waarheid en het stoort me niet wanneer anderen, die jij er in minder prettige termen over hebt verteld, me om dat handelen veroordelen. Het is geen prettig idee, maar ik draag het voor jou. Want voor jou is het belangrijk dat de mensen waarvan jij houdt en die van jou houden, geloven in wat je toen verteld hebt. Het zijn er weinigen, maar jij bent met hen verbonden en er kan veel kapotgemaakt worden als ze de ware toedracht kennen. Tegen halfvijf kwam Ineke de kamer binnen. 'Hallo, mam, wat zit je daar moppig naast het telefoontafeltje! Heb je een leuk gesprek gehad? Heeft oma je gebeld met zotte verhalen over de geschiedenis 'Hans wil een hond, maar ik wil geen hond'?' Intussen trok ze haar jack uit en bracht hem naar de hal.

'Voordat Thomas thuiskomt moet ik even iets tegen je zeggen,

Ineke. Je weet dat de biologische vader van Marieke hier dinsdagmiddag is geweest en je begrijpt dat er na dat bezoek dingen te bespreken zijn tussen papa, Marieke en mij. We hebben een paar dagen rust ingelast om elk over de eigen mening na te kunnen denken, maar vanavond willen we erover praten.'

'Wel jammer dat ik daar niet bij mag zijn,' Ineke schoof op een van de stoelen die rond de grote tafel stonden, ze plaatste haar ellebogen op het gladde blad en ze zei: 'Mam, je moet Marieke het advies geven, of het zelf doen, dat kan natuurlijk ook, maar jullie moeten inlichtingen inwinnen over de financiële achtergrond van die man. Hij is getrouwd, maar het stel heeft geen kinderen. Dus als het een welgesteld mannetje is, is er op de één of andere manier voor Marieke geld uit te slaan! Mogelijk vindt paps het niet gepast. Hij is een keurige boekhouder, maar ik zie er geen kwaad in. En er zit ook geen kwaad in! Nuchter nadenken, dat leerde jij ons vanaf ons vierde jaar. Als je nu het speelgoed opruimt hoef je het morgen niet te doen... Heerlijke logica, want wij dachten: mama kan niet tegen die rommel, zij ruimt het straks wel op... Maar terug naar die vader. Marieke is tenslotte zijn dochter. Als hij haar wil helpen, als hij voor haar een huis wil kopen of een auto...'

'Alsjeblieft, Ineke, zeg niet van die onwijze dingen.'

'Het zijn geen onwijze dingen. De feiten liggen zo. Als papa haar vanavond een tip in die richting geeft...' Ineke begon plezier in het onderwerp te krijgen.

'Ik wil er niets over horen. En papa zou nooit een tip in die richting geven en dat weet jij ook wel.' Er was een boze toon in Lizzy's woorden, maar Ineke lachte erom. 'Goed mam,' en om nog even door te plagen voegde ze eraan toe: 'Ik ging in gedachten al een stapje verder, als mijn zus veel geld krijgt en ze vindt mij nog een aardig zusje, wie weet...'

'Het is genoeg. Ik wilde tegen je zeggen dat ons gepraat rond een uur of negen zal beginnen. Eerst moet Thomas in zijn bed terecht zijn gekomen, in elk geval in zijn kamer en dan zou het prettig zijn,' Liz lachte naar haar jongste dochter, 'dat jij buiten gehoorafstand bent. Want jij brengt dingen naar voren waarin papa en Marieke na diep nadenken misschien toch mogelijkheden kunnen zien...'

'Zie je nou wel,' riep Ineke enthousiast, 'als het woord 'geld' maar tot je doordringt! Nee, mam, onzin. Ik ga werken aan het werkstuk van Thea en mij. Zoiets heet geen werkstuk, maar een project. Lekker rustig alleen in mijn kamer, beker warme thee, een paar chocolaatjes en jullie hebben van mij geen last.'

Frits opende het gesprek. 'Het lijkt me een goed idee om, om de beurt, te zeggen hoe we er na de twee dagen van rust over denken. Liz, bijt jij het spits maar af.'

Ze knikte. 'Ik wil geen lang verhaal naar voren brengen over de toch wel emotionele kant, die voor mij aan de confrontatie met Menno Bouwsma verbonden is. Hij was de jongen waarop ik in mijn meisjesjaren verliefd werd en wat in die tijd gebeurde maakte het tot een belangrijke periode in mijn leven. Maar alles is op een goede weg verder gegaan. Ik ben getrouwd, ik ben moeder van drie schatten van kinderen. Wat destijds heeft plaatsgevonden is door de jaren heen naar de achtergrond gedrongen. Ik heb het beleefd. Ik weet alles nog, maar het hield me niet meer bezig, tot de middag waarop mijn moeder langskwam. Zij kwam om te praten over een kort gesprek dat ze met ene mevrouw Bouwsma had gevoerd, de vrouw van Menno Bouwsma. Ja, inderdaad, die naam kende moeder Nadine. Die mevrouw zei dat haar man graag zijn vroegere vriendinnetje wilde zien. Een middagje, een paar uurtjes was genoeg. Dat gebeurt vaker tussen mensen die niet meer zo piepjong zijn, maar af en toe aan een voorbije vriendschap denken. Bij zo'n ontmoeting worden herinneringen opgehaald en er wordt gebabbeld over

destijds. Een paar maanden voor dat gesprek had Marieke gezegd dat ze graag haar biologische vader wilde zien, alleen hem zien, weten welke man het is. Ik vond het een goed idee die twee wensen aan elkaar te verbinden. Allebei na afloop blij en tevreden, maar zo simpel was het natuurlijk niet. Ik realiseerde me direct dat Menno niet wist van de zwangerschap en dus ook niet van een kind. Maar als Marieke haar vader wilde zien, zou haar vader zijn dochter moeten zien en misschien, dacht ik, is het goed dat Menno na achttien jaar weet welk vervolg het weekend in zijn kamer heeft gehad en dat hij eindelijk het antwoord krijgt op de vraag waarom ik niet kwam opdagen bij onze afspraak op een woensdagavond. En...' Liz keek van Frits naar Marieke, 'ik moet vertellen, want ik wil vanavond eerlijk zijn, dat ik er een klein beetje genoegen in had de schrik van Menno te zien toen ik hem vertelde over de zwangerschap en hem daarna voorstelde aan zijn dochter... Het was gemeen, maar het kon niet anders. De afspraak was gemaakt, Menno kwam om mij te zien. Marieke stapte de kamer binnen om haar vader te zien...'
'Je moet je daardoor niet bezwaard voelen, mam, want ik weet zeker dat Menno Bouwsma blij is van mijn bestaan te weten en mij te hebben gezien.'
'Goed, Marieke, dit mag jij ertussendoor zeggen, maar ik wil dat mama eerst haar gedachten over, ik zal het nu een naam geven 'de ontmoeting' van dinsdagmiddag kan uitspreken.'
'Ik heb er niet veel meer over te vertellen. Ik ben er ook van overtuigd dat Menno na de eerste schrik blij is geweest het kind te zien, maar waar het om gaat is, hoe staan we tegenover verdere contacten in de toekomst... Om meteen het mes maar op tafel te leggen.'
'Inderdaad, daar gaat het om,' knikte Frits instemmend, 'en hoe denk jij daarover?'
'Ik ben ervan overtuigd dat het rustiger in ons gezin zal zijn als na deze middag geen contacten worden gelegd tussen Menno

Bouwsma en Marieke. Maar ik vrees dat het moeilijk zal zijn dat te voorkomen. Ik praat nu alleen over de wil van Menno. Marieke zegt ons straks hoe zij erover denkt. Menno heeft heel duidelijk gemaakt dat hij Marieke wil blijven zien. Nu hij weet dat hij een dochter heeft wil hij haar niet meer loslaten. En dat kan ik heel goed begrijpen. Ik denk, Frits, dat jij dat ook kunt begrijpen.'

'Ja,' gaf Frits toe, 'dat kan ik inderdaad, maar voor mij,' hij lachte even, 'als hoofd van dit gezin, is het belangrijk dat de rust en vrede hier bewaard blijft. En ik ben bang dat het door inmenging van Menno Bouwsma een moeilijk onderwerp zal worden. Maar om jouw conclusie even strak naar voren te brengen, Liz, jij gelooft ook dat het beter is Menno Bouwsma buiten de deur te houden, geen telefoongesprekken toe te laten, geen afspraakjes toe te staan. Maar je hebt daar de noot al bijgelegd dat het mogelijk moeilijk uitvoerbaar zal zijn.'

Lizzy knikte. Ja, zo ongeveer lag het wel. Maar de eerste stap was na haar woorden gezet en het maakte het voor haar dochter gemakkelijker te zeggen wat ze wilde...

'En jij, Marieke, hoe denk jij erover?'

'Het is heel moeilijk,' begon ze diplomatiek, 'omdat we niet in de toekomst kunnen kijken. Maar het was voor mij een aparte ervaring de man te zien die mijn echte, mijn biologische vader is. Daaraan kan ik niet twijfelen, want ik lijk op hem. En zijn verrassing mij te zien deed me goed. Hij liet merken blij met me te zijn. Jij, pap, bent ook blij met me, je houdt van me en ik houd van jou, wij horen ook bij elkaar, maar ik heb opeens twee vaders waartoe ik me aangetrokken voel en ik kan niet zeggen dat ik Menno Bouwsma niet meer wil ontmoeten, nee, zo is het niet.'

'Zou je hem zelf willen bellen? Of zijn adres opzoeken en naar zijn huis willen gaan?'

'Daarover heb ik nog niet gedacht.'

'Ik ken nu de mening van jullie beiden,' Frits de Winter verschoof op de stoel, hij ging rechter zitten; hij zei: 'Ik zal ook mijn mening geven. Ik ben over het algemeen een rustig mens, ik duld veel, ik ben geen strijder, geen vechter. Maar in dit wil ik jullie zeggen, dat ik ervan overtuigd ben dat Menno Bouwsma in ons leven binnenhalen, of het nu via Marieke of via jou, Liz, zal gaan, een volkomen verkeerde, een heel kwalijke zaak zal worden. Ik ben het met mama eens dat het waarschijnlijk niet mogelijk is het te ontwijken, maar ik weet zeker dat het beter is vanuit dit huis of vanuit welk uitgangspunt dan ook, geen contacten te leggen met Menno Bouwsma. Het niet zelf aangaan. Het niet uitlokken. Ook jij niet Marieke, want jou gaat het in de eerste plaats aan, Menno was een vriendje van je moeder, maar hij is ook de man die jou heeft verwekt en die daad maakte hem tot je biologische vader. Maar jullie beiden moeten,' weer even een lachje, 'het niet doen. Geen contacten met hem leggen. We moeten de gebeurtenissen van de voorbije weken zo veel mogelijk proberen los te laten en te vergeten, dan komt er langzaamaan steeds meer afstand...'

3

SUZANNE ZETTE HET KOFFIEKOPJE VOOR HAAR VRIENDIN NEER OP DE lage tafel in de zithoek, ze zei: 'Ik wil je iets vertellen, Anne en daarna wil ik er met je over praten.'

Anne Wagenaar lachte. 'Wil ik er met je over praten... Dat is een uitdrukking van Koos! Hij zei de woorden tijdens één van de avondjes waarop wij bij elkaar waren en we kregen er aansluitend een uitgebreide uitleg over, weet je dat nog? Het verschil tussen vertellen en praten. We hebben er heerlijk om gelachen, want Koos babbelde er met een ernstig gezicht over door. Vertellen is volgens Koos een waargebeurde geschiedenis op tafel leggen, maar dat is onzin, want het kan toch ook een fantasieverhaal zijn? Ik wil er met je over praten, zoals jij nu zegt, houdt in dat je er woorden over wilt wisselen. Je mening geeft. Tjeerd zei, toen Koos ons eindelijk zijn zienswijze had duidelijk gemaakt over de uitdrukking van Koos: "Die houden we er in!" Het is een gezegde dat op zijn kantoor gebruikt wordt als er een grappige opmerking naar voren komt. Jij hebt dat goed onthouden. Maar, Suzan, als jij vertelt wat er aan de hand is, want in die richting wil je toch gaan, praten we erover.'

Suzanne was inmiddels gaan zitten. Ze nam haar koffiekopje van de lage tafel, roerde er in en dronk het kopje leeg. 'Mogelijk herinner jij je de avond nog waarop jullie alle vier hier waren, die avond is over het studentenleven gesproken. Jullie zoon Koen is eerstejaars. Tjeerd vertelde over de verandering die de stap van de middelbare school naar de universiteit toch is. Koos nam het gesprek van Tjeerd over en hij zette een boom op over het studentenleven alsof hij jarenlang op de universiteit heeft gezeten en daar heel wat avonturen heeft meegemaakt! Er kwamen wilde verhalen en opeens vroeg hij aan Menno hoe hij zijn studententijd had beleefd. En vooral, want dat was interessanter dan de studieonderwerpen, de omgang met de meisjes... Koos noemde erbij op dat het een voordeel was geweest voor Menno dat hij uit Joure kwam. Hij moest hier een kamer huren, een eigen woonplek hebben en dat had Menno destijds...'

Suzanne vertelde over de onrust die ze na die zaterdagavond in Menno had opgemerkt, en haar vraag aan hem haar te vertellen wat hem die avond had geërgerd of over welk onderwerp hij dieper was gaan nadenken. Toen vertelde Menno haar over dat ene vriendinnetje, een blond, mooi meisje waarop hij hevig verliefd was geweest. Hij praatte over zijn vraag aan haar met hem mee te gaan naar zijn kamer. Haar antwoord was dat ze dat wel wilde, maar dat ze beslist geen seks met hem wilde, maar de zaterdagavond kwam en 'het' gebeurde wel tussen hen...

Toen ze zover was gekomen zweeg Suzanne even. Er was opeens een korte aarzeling in haar om verder te gaan, om alles te vertellen. Maar als ze dat niet deed zou het praten met Anne geen zin hebben. En Suzanne kon goed met Anne praten.

Anne ving het zwijgen van Suzanne op als een korte pauze, die haar vriendin wilde inlassen en ze vulde die pauze door te zeggen: 'We weten allebei dat er dingen gebeuren tussen nog jonge jongens en jonge meisjes, dat is een gebeuren met een lange geschiedenis. Het had eigenlijk nog niet mogen gebeuren, maar zo is het leven nu eenmaal. Liefde, hartstocht, verlangen, begeren. En de studenten, die van buiten Amsterdam komen hebben meestal een eigen kamer. Ze moeten ergens slapen en hun lessen leren, maar het betekent wel veel vrijheid krijgen.'

Suzanne nam het gesprek weer over. 'Menno heeft me in de jaren voor die avond veel over zijn studententijd verteld. Het waren mooie verhalen, ook minder mooie geschiedenissen, maar hij had nooit iets over zijn liefde voor dat meisje gezegd. En, Anne, dat heeft me wel pijn gedaan. Ik dacht dat we in alles open en eerlijk tegen elkaar waren, maar dat was toch niet zo. Ik stopte het weg met het denken dat het een liefdesgeheimpje was dat Menno voor zichzelf wilde bewaren. En misschien wel, wie zal het zeggen, wilde koesteren. Waarschijnlijk was het ook minder belangrijk geweest dan hij deed voorkomen. Het kostte me veel moeite Menno over dat blonde kind aan het praten te krijgen, maar uiteindelijk stortte hij zijn hart over haar uit. Hij was zo verliefd geweest. Hij hield echt van haar. Waarom zou hij het ook nog langer voor mij verzwijgen? Hij was in die tijd een jongeman van eenentwintig jaar. Het is inmiddels achttien jaar geleden!'

'Ik maak uit je woorden op dat het meisje na dat weekend is weggegaan en nooit meer iets van zich heeft laten horen.'

'Zo is het. Ze had hem haar achternaam wel genoemd, maar hij had het niet goed verstaan en ook de naam van de straat waarin ze woonde klopte niet. Het kan heel goed zijn dat Menno niet echt naar een en ander heeft geluisterd. Hij keek meer naar haar groengrijze ogen. Hij vertelde dat hij door de voorbije jaren heen met tussenpozen, maar toch regelmatig, aan dat weekend heeft gedacht. Het weekend waarna ze totaal uit zijn leven verdween. Hij vertelde dat hij haar graag wilde ontmoeten. Nog één keer met haar praten. Hij geloofde dat ze niet naar hun volgende afspraak is gekomen omdat ze achteraf niet blij was met wat er die zaterdagavond was gebeurd. Ze wilde, om het kort en goed te zeggen, zo dacht Menno, niets meer met hem te maken hebben. Ik begrijp dat wel, het was een meisje van achttien jaar en ze had weinig ervaring met jongens. Ik vertel eerst het hele verhaal af, voor we er over gaan praten.'

Anne Wagenaar knikte. En Suzanne vertelde verder over haar plan het blonde kind van toen, het zou nu een vrouw van zesendertig jaar zijn, voor Menno te zoeken. Ze wist dat de gebeurtenis hem nog dwars zat. Ze wilde hem helpen daar het juiste over te horen. Waarschijnlijk, dacht ze, zouden hij en dat grietje er nu hartelijk om lachen... Een verliefd jong stel, dan gebeuren dit soort dingen... Ze was met zoeken begonnen en ze had het vrouwtje gevonden. Ze heette Liz en ze stemde er in toe hem één keer te ontmoeten. Die ontmoeting zou op een dinsdagmiddag plaatsvinden. Om drie uur in haar huis. Ze was inmiddels getrouwd en moeder van drie kinderen.'

Anne luisterde, met de vraag: wat komt hierachter vandaan... Suzanne vertelde verder over de ontmoeting tussen Menno en Liz. De grote schrik voor Menno te horen over de zwangerschap en een nog grotere schrik het kind te zien dat uit hun samengaan van dat ene weekend was geboren...

'Mijn hemel, Suzanne,' riep Anne Wagenaar verschrikt, 'wat zeg je nu? Een kind? Na die ene nacht was het meisje zwanger? En ze ging niet naar hem toe om het hem te vertellen?'

'Nee. Anne, dat deed ze niet. Ik was na alle moeite haar te vinden blij de afspraak voor Menno geregeld te hebben. Ik wist hoe graag hij haar wilde zien, even met haar praten, weten waarom ze niet naar hun laatste afspraak was gekomen, dom meisje van toen, famke toch, maar ze zouden er nu samen om lachen... Ik wachtte die dinsdagmiddag op zijn thuiskomst. Ik verheugde me op zijn blije verhalen en ik had voor mezelf de zekerheid dat in hem nu geen geheimen meer voor mij waren verborgen. Dat was een prettig gevoel. Hij is mijn man, ik deel de dagen en de nachten met hem, ik wil alles van hem weten. Maar, Anne, hij kwam als een gebroken man, totaal onthutst, totaal van de wijs ons huis en onze kamer binnen. Het was meer strompelen dan lopen. Ik herinner me niet precies hoe het is gegaan, maar ik weet wel dat hij kreunde en hij huilde. Hij riep mijn naam: "Suzanne... Wat er nu is gebeurd... Ik weet het niet... Ik weet het niet..." Dan snikte hij weer, zo'n grote man in tranen te zien is vreselijk en hij schreeuwde: "Ja, ik weet het wel, ik heb een dochter, een mooie dochter, ik heb een kind, ik heb een kind...

Ik ben vader van een kind!" Hij riep die woorden luid en duidelijk. Ik ben even bang geweest, echt waar, dat het gebeuren hem zo heftig had aangegrepen dat hij er gek van werd. Hij kon het niet bevatten. Hij had van tevoren nagedacht over hoe hun gesprek zou verlopen. Hij wist welke vragen hij haar wilde stellen. Ze haalden herinneringen op. Hij had aan van alles gedacht, maar dit, nee, dit kon hij niet verwachten...'

Er werden na dit vertellen nog veel woorden door de twee vrouwen gesproken. Suzanne schonk frisdrank in. 'Maar geen wijn, we moeten nuchter blijven,' zei ze met een lachje en Anne had geantwoord: 'Ja, we moeten nuchter blijven...'

'Ik heb mijn best gedaan Lizzy te vinden en tijdens dat zoeken overheerste het gevoel dat ik er goed aan deed dit te doen. Ik maakte Menno er blij mee, een wens van zoveel jaren ging voor hem in vervulling. De zaterdagavond van de volgende week komen we bij elkaar bij Koos en Margriet en dan zal Menno deze geschiedenis vertellen. Dat moet gebeuren, jullie zijn onze beste vrienden, jullie moeten ervan weten. Maar jij weet ook dat er, als Menno zijn mond houdt, een druk gepraat op gang zal komen. Meningen, opmerkingen, vragen en dat is ook logisch. Ik wilde graag met jou alleen praten. Jij en ik hebben toch dikwijls een beetje dezelfde kijk op de dingen die gebeuren.'

'Je hebt met de beste bedoelingen dat meisje opgespoord. Menno kon haar destijds niet vinden, maar jij nu wel! Het was goed bedoeld en jij kon deze uitslag niet vermoeden. Maar ik denk dat je goed in de gaten moet houden hoe dit verder gaat.'

'Verder gaat? Menno heeft die middag in de huiskamer daar al geroepen dat hij contact met zijn dochter, ze heet Marieke, wil houden. Maar Liz bitste dat meteen af. "Nee, nee, dat gebeurt beslist niet!" heeft ze gezegd. "Dit was een eenmalige ontmoeting." Hij wilde haar zien en Marieke wilde haar biologische vader zien. Dat is nu gebeurd, elk gaat verder met zijn of haar eigen leven. Maar Menno wil het meisje niet loslaten en dat begrijp ik zo goed van hem...' Er kwam iets zwoels in de stem van Suzanne Bouwsma, ook iets van weemoed. 'Wij leefden de eerste jaren van ons huwelijk met het grote verlangen naar een kind. We praatten en fantaseerden er over, ook dolle en malle dingen. We wisten hoe we de opvoeding ter hand zouden nemen en welke opleiding hij of zij ging volgen. Maar er kwam geen zwangerschap. We hebben daarover gepraat, dat was ongeveer vier jaren na onze trouwdag. Ik was ervan overtuigd dat onze kinderloosheid een oorzaak vond in het lichaam van Menno. Waarom ik dat dacht weet ik niet. Ik werd elke maand keurig ongesteld, ik was dus een gezonde vrouw. Maar zo simpel ligt het niet. Menno dacht zelf ook in die richting en dat was geen prettige gedachte. We hebben ons leven vanaf dat tijdstip anders op poten gezet. Andere idealen zoeken dan het opvoeden van kinderen. We sloten ons aan bij verenigingen; daaruit zijn fijne vriendschappen ontstaan en door de omgang met die mensen werd ons leven gezellig. Andere interesses, andere verhalen. We maakten prachtige reizen, zagen mooie toneelstukken, bezochten muziekavonden en noem maar op.' Ze had de woorden op een ietwat opgewonden toon gezegd. Nu keerde ze rustiger terug naar de geschiedenis van Menno en Lizzy. 'Nu blijkt dat het kinderloos blijven van ons huwelijk niet aan Menno heeft gelegen maar aan mij. En, Anne, dat doet na al die jaren toch pijn. Maar ik kan het loslaten en ik houd van Menno. Ik gun hem dit geluk en ik zal er in delen als er wel een verdere kennismaking tussen Marieke en hem tot stand wordt gebracht. Haar ouders willen dat niet en ze kunnen haar nu nog verbieden naar Menno toe te gaan, maar als ze wat ouder is houden ze haar niet meer tegen. En Menno laat haar niet meer los! Menno heeft een kind verwekt, hij is vader! Ik begrijp zijn aandacht voor dat meisje zo goed, Anne! En het kind lijkt op hem. Ze heeft ook grote, blauwe ogen en krullend haar en de vorm van het gezicht, het is natuurlijk een meisjessnoetje, lijkt op dat van Menno. Ik zal Menno bij alle pogingen steunen die hij onderneemt contact met Marieke te krijgen en te houden.'

Na die woorden viel een stilte in de kamer. Suzanne zat met een lichte glimlach op het gezicht in de stoel. Ze had Anne het verhaal verteld en dat vertellen was goed geweest. Ze wilde er met iemand over praten en Anne begreep haar gevoelens.

'Ik hoor deze geschiedenis vanmiddag voor de eerste keer, Suzan, je begrijpt dat ik het hele verhaal in gedachten nog een keer voorbij zal laten gaan en het zal me de eerste dagen bezighouden. Maar als ik nu de gebeurtenissen op een rij zet, wil ik je wel mijn eerste indruk geven.' Anne keek haar vriendin recht aan, toen zei ze: 'En dat is een raad die je waarschijnlijk ongelooflijk voorkomt, maar zo voel ik het. Suzanne, pak het heel voorzichtig en met zorg aan als je Menno gaat helpen met het leggen van contacten met Marieke. Het is een jong meisje, achttien jaar. Wees ervan overtuigd dat dit kind zijn leven zal beïnvloeden. Kort na jullie huwelijk had hij de hoop dat hij vader zou worden en Menno is een man, ik ken hem al vele jaren, die daar serieus over heeft gedacht. Je hebt dat zelf ook al gezegd. Hij wist hoe hij jullie kinderen wilde opvoeden, op welke manier, in welke richting ze werden gestuurd. Want Menno is ervan overtuigd dat wat je in je jeugd leert aan waarden en normen je verdere leven bij je blijft. En die kant, heeft Menno vastgesteld, moet het opgaan met de mensheid. Ik zeg het een beetje vreemd, maar je begrijpt wat ik bedoel. Toen duidelijk werd dat er geen kinderen zouden komen, hebben jullie dat verlangen losgelaten en een nieuwe richting aan je leven gegeven en dat is goed gelukt. Ik kan niet in de toekomst kijken, Suzan, maar als ik de gedachten volg die op dit moment door mijn hoofd dansen verwacht ik, dat, als jij Menno stimuleert met Marieke in contact te komen, hij die band, als die eenmaal gelegd is, steeds steviger zal aantrekken, omdat hij dat zelf graag wil en mede door het denken dat jij er volledig achter staat.'

'Ik sta er ook volledig achter, Anne!'

'Hoe meer Menno zich met Marieke gaat bezighouden, hoe minder aandacht hij aan jou zal geven. Het zal bij jou een gevoel van jaloezie oproepen en dat is dan beslist niet onterecht. En je mag ook bij die jaloezie niet denken dat het verkeerd is dat te voelen. Menno is jouw man, je houdt van hem, je bent een deel van zijn leven en je wilt dat hij ook in de toekomst een deel van jouw leven is. Ik ben bang, Suzanne, dat door de komst van Marieke veel zal veranderen in het leven van Menno, maar ook in jouw leven. Voor Marieke heeft die dinsdagmiddag ook een grote verandering gebracht. Ze zag Menno, zijn uiterlijk, ze lijkt op hem. Ze weet en voelt dat tussen hem en haar verbintenissen zijn. De manier van denken kan in dezelfde richting gaan en interesses voor bepaalde zaken. En het denken: hij is de man die mij bij mijn mama heeft verwekt... Dat kan voor een jong meisje een heftig weten zijn. Mogelijk heeft ze er in haar fantasie in de voorbije jaren, vanaf twaalf, dertien jaar, veel omheen geweven. Ze kan bijvoorbeeld gaan fantaseren en er kan, omdat haar is verteld dat de man die elke avond bij hen aan tafel zit niet haar echte vader is, een stil verlangen zijn gegroeid die echte vader te ontmoeten en te leren kennen. Ze vroeg zich misschien af of ze karaktereigenschappen van hem heeft.

Het ontmoeten is nu gebeurd, de wil hem te leren kennen volgt waarschijnlijk. De kans is groot dat ze zich tot elkaar aangetrokken voelen, ze willen elkaar leren kennen, ze zijn nauw met elkaar verbonden, vader en dochter!'

Anne lachte even na deze woorden. Maar Suzanne lachte niet met haar mee. Alles wat Anne had gezegd kwam haar als nieuw voor. Ze had niet verder gedacht dan de blijheid van Menno, zijn verlangen dit kind naar zich toe te halen en zij zou hem daarbij helpen, want hij en zij stonden alle jaren van hun huwelijk naast elkaar en dat zou ook in de toekomst zo zijn. Marieke paste tussen hen in.

De stem van Anne praatte verder: 'Het is niet onmogelijk dat binnenkort een heftige ruzie uitbreekt in huize De Winter. Marieke wil een afspraakje met haar vader organiseren, maar haar ouders staan dat niet toe. Juist door tegenwerking kunnen zij hun dochter in de armen van de begeerde vader duwen. Een meisje van achttien jaar kan zichzelf de overtuiging aanpraten dat haar pleegvader haar minder goed begrijpt dan dat haar eigen vader dat zal doen. Het hoeft totaal niet waar te zijn, haar pleegvader is waarschijnlijk een schat van een man en hij houdt veel van Marieke, maar in haar bolletje kan het denken als dit een plaatsje vinden. En hoe denkt ze over haar moeder? Ze houdt van haar moeder, het is ook een schat van een moeder, maar destijds is ze toch heel dom geweest niet naar de jongen terug te keren om hem te vertellen over de zwangerschap. En de boosheid van haar, toen? Kletskoek, ze hield toch van hem, ze ging toch met hem naar bed? Dom, heel dom en alles in Mariekes leven zou anders verlopen zijn als ze vanaf haar geboorte haar echte vader had gehad. Maar nu heeft zij de kans haar vader in haar leven binnen te laten!'

'Anne, mijn hemel, ik schrik van je woorden! Er bromt ergens in mijn hoofd wel een stemmetje dat zegt dat je misschien gelijk hebt, maar ik wil het niet geloven! Ik wil zo graag dat Menno gelukkig is! En dat zal hij zijn als hij zijn dochter naar zich toe kan trekken. Ik zeg het anders: haar ons leven binnen kan halen.'

Na die woorden zweeg Suzanne even, toen zei ze in langzaam uit-gesproken woorden: 'Ik heb je onze geschiedenis verteld en we heb-ben er over gepraat. Eerst mijn lange verhaal, toen jij je reactie. Jouw woorden houden een waarschuwing in, kort samengevat: kijk met open ogen naar wat er gebeurt. Anne, dat zal ik zeker doen. Misschien, daaraan denk ik nu opeens,' ze lachte naar de vrouw die tegenover haar zat, 'heb je me wakker geschud uit een te roze droom. Ik begrijp niet hoe jij zo kort na mijn vertellen met deze redenatie kon komen, maar...'

Anne viel haar in de rede. 'Ik maakte tijdens jouw praten een inschatting van hoe het waarschijnlijk zal kunnen gaan. Maar ik weet natuurlijk niet hoe het zal gaan. Je moet er rekening mee houden, dat de ouders van Marieke niet springen van blijdschap door de hoop dat hun dochter naar Menno zal toetrekken en meer in jullie huis zal zijn dan bij hen. Dat willen ze beslist niet, dat kan ik je, zonder die mensen te kennen, vertellen. Ik wil je alleen waarschuwen niet, door weg te zakken in prachtige dromen, vergeten te kijken naar wat er in werkelijkheid gebeurt. Blij zijn als het gaat zoals jij wenst, maar, zo noemt Tjeerd dat, je koppie erbij houden.'

'Ik voel me ontgoocheld na jouw woorden, maar ik zal erover nadenken.' Suzanne keek haar vriendin aan. 'Anne, het was geen fijn, gezellig gesprek, maar wel een goed gesprek. Ik wil het onderwerp nu aan de kant schuiven.'

'Dat doen we, hoewel het een interessant onderwerp is. Suzanne, ik heb je met mijn nuchtere woorden in de war gebracht, maar denk over alles rustig na. Ik vertel nog even een leuk geschiedenisje over Koen en Tineke. Onze zoon en onze schoondochter...'

Toen Anne Wagenaar naar huis fietste sloot Suzanne de voordeur en ging terug naar de huiskamer. Een blik op de klok, ze hoefde nog niet aan de maaltijd voor vanavond te beginnen. Er was nog tijd om over deze middag na te denken. Een glas water meenemen uit de keuken, gaan zitten, ontspannen, de voeten plat op de vloer, langzaam het glas leegdrinken en alle woorden van deze middag opnieuw over zich heen laten komen... Ze had tegen Anne gezegd dat ze zich ontgoocheld voelde en dat gevoel had ze nog. Het was ook teleurgesteld zijn, zich losgemaakt voelen van haar goede verwachtingen. Hoe kon ze het nog meer benoemen? Maar er was ook een zekerheid om het weten dat ze in de geschiedenis, die nu rond Menno en haar speelde, niet alles wat ging gebeuren zonder opletten en nadenken aan zich voorbij mocht laten trekken. Ze moest alert zijn en aan haar eigen geluk denken. Dat was wat Anne wilde zeggen. Dat denken gaf kracht, kom op voor jezelf, Suzanne... Niet in alles toestemmen wat Menno gelukkig zal maken, voor jezelf opkomen. Want ook jij wilt je gelukkig voelen...

Ze had zich vanaf de dag waarop ze Menno Bouwsma ontmoette op een receptie van het bouwbedrijf Wildervanck en Groenewegen naast hem gevoegd; ja, dat was er de goede uitdrukking voor. Ze was meteen verliefd geworden op de grote, knappe jongeman en hij was zo heerlijk zelfverzekerd. Hij kon zo goed zijn woordje doen. Hij had een uitstekende functie in het bedrijf, de directie waardeerde zijn aanpak. Hij had veel verantwoordelijkheid op de werkvloer en alles ging prima onder zijn leiding. Echt een man om een beetje tegenop te kijken. Maar vooral was Menno Bouwsma lief en bezorgd voor haar. Hun trouwdag was een blij feest geweest. Hun woning werd hun geluksnestje, het leven was heerlijk en, dat realiseerde ze zich nu, in de voorbije jaren was het zo geweest dat zij in denken en handelen aanschoof bij wat Menno voorstelde. Maar dat kwam, ze had er toch een glimlach voor, omdat hij vrijwel altijd goede voorstellen deed. Heerlijke vakantieplannen naar landen en doelen die ook zij graag wilde bezoeken. Het kopen van meubelen en spulletjes voor hun huis; ze maakten dikwijls dezelfde keuzes. Tot nu toe waren er, als het om echt belangrijke zaken ging, geen redenen geweest tegen zijn voorstellen in te gaan. Die voorstellen waren goed, ze was het met hem eens. Ze hadden het goed en fijn samen. Ze hield van Menno. Ze wilde dat hij zich gelukkig voelde en ze was ervan overtuigd dat hij gelukkig was met haar, maar nu wachtten mogelijk grote veranderingen op hen en ze kon de draagwijdte daarvan niet overzien. De toekomst was in onzekerheid verborgen.

De grote klok sloeg rustig, maar vastberaden zes slagen. Tijd om voor de maaltijd te gaan zorgen. De nuchtere werkelijkheid van het leven van een huisvrouw. Ze moest zich losmaken van alle gedachten die in haar hoofd tolden, maar dat losmaken zou niet volledig lukken, want ze bleven op de achtergrond onzichtbaar aanwezig.

Even voor zeven uur kwam Menno thuis. Hij zette de grote aktetas naast de boekenkast op de vloer. Hij kuste Suzanne. 'Dag, lieverd, het was een drukke dag! De meeste dagen loopt alles redelijk op rolletjes, kleine strubbelingen en meningsverschillen tel ik niet. De werkzaamheden zijn goed voorbereid en dat moet ook, anders wordt het een chaos en chaos kost geld. Maar vandaag was het op het werkterrein Schelpenhoek, daar bouwen we twintig woningen, dat heb ik verteld, een puinhoop. Materiaal dat gisteren aangevoerd zou worden was niet gekomen, loodgieters in paniek, maar gelukkig, toen ik naar huis ging was alles weer enigszins opgelost. Op deze dagen moet je als uitvoerder ogen achter en voor hebben en weten wat je te doen staat. In elk geval niet in paniek raken en het overzicht niet verliezen.' Hij lachte naar Suzanne. 'Zo, ik heb mijn hart gelucht. Ik laat het los, want je kent mijn stelregel: niet het werk meenemen naar huis. Het achterlaten in de bouwketen. Morgenochtend om zeven uur trekken de mannen de deuren weer open en rolt alles naar buiten.' Hij keek in het pannetje waarin Suzanne roerde en vroeg: 'Hoe is het hier gegaan?'

'Anne is geweest. En het was, zoals bijna altijd als Anne er is, gezellig. Ze kan heerlijk vertellen. Vanmiddag had ze weer een verhaal over Koen en Tineke. Geen echt opwindende gebeurtenis, maar de manier waarop Anne kleine gebeurtenissen en voorvalletjes op tafel brengt is leuk. Tjeerd en zij kunnen goed met hun schoondochter opschieten. Maar Tineke is, vergeleken bij Anne, beslist geen goede huisvrouw. Nooit op tijd de tafel gedekt en het eten klaar. Zodra Koen het huis binnenstapt trekt hij een tafellaken uit een la, borden en bestek uit de kast en Tineke blijft naar de pannetjes kijken en na een halfuur staat de maaltijd toch op tafel. Koen heeft intussen echt trek in een hapje, dus smaakt het hem meestal goed. Het is een apart koppeltje, Koen en Tineke, maar, je kent ze, wel een heerlijk stel. En Anne slaat alle handelingen in hun huishoudentje met gevoel voor humor gade.'

In de avond zei Menno: 'Er zijn ruim drie weken voorbij gegaan na de middag waarop ik Liz heb gesproken en Marieke heb gezien. Het kind is na die uren niet meer uit mijn gedachten geweest en ik neem aan dat het ook jou bezighoudt. Maar we horen niets van Liz.'

'Nee, en dat is toch logisch? Waarom zou Liz contact met jou zoeken? Je weet hoe ze erover denkt. Die middag heb jij met haar gepraat, dat wilde je en het is gebeurd.' Er was een scherp toontje in de stem van Suzanne, 'en je hebt Marieke gezien. Je weet nu van de ongewenste zwangerschap, het gevolg van jouw doorzetten haar in je bed te krijgen. Ze vond dat jij het na achttien jaar mocht weten. Maar verder gaat, als het aan Liz ligt, het verhaal voor jou niet. Marieke is de dochter van Liz en Frits en die twee vinden het het beste voor het meisje geen toeziende, biologische vader op afstand te hebben. Het gaat prima in het gezin De Winter, jij hoeft je er niet mee te bemoeien. Verwachtte je dat Liz zou bellen?' Haar stem klonk nu vriendelijk, zoals bijna altijd als ze tegen Menno praatte, 'wat zou ze dan tegen je willen zeggen?'

'Dat is ook zo. Ik zei zo-even dat we niets van Liz hebben gehoord, maar ik bedoelde te zeggen: we hebben niets van Marieke gehoord. Liz zal niets van zich laat horen als er niets gebeurt. Ik verwachtte dat Marieke mij zou bellen. Ik durfde die dinsdagmiddag ons telefoonnummer en ons adres niet op tafel te leggen, Liz zou het kaartje gepakt hebben en waarschijnlijk meteen in stukjes hebben gescheurd, want ze was duidelijk in haar woorden dat zij en Frits niets verder willen. Maar Marieke kan natuurlijk ons telefoonnummer en ons adres opzoeken. De telefoongids in de handen nemen is al voldoende. Onder de letter B de naam Bouwsma opzoeken, een M erbij; dat moet hem zijn! Maar tot nu toe belt ze niet. Ik had het verwacht. Zouden er, Suzan, problemen zijn in huize De Winter? Het kan niet anders dan dat over mij en mogelijk ook over jou, gesproken wordt. Maar op welke manier?'

Gelijktijdig met het uitspreken van deze woorden besliste Menno Bouwsma voor zichzelf dat hij nog één dag zou wachten. Als hij morgen niets hoorde, belde hij overmorgen naar Liz. Deze geschiedenis kon niet na die dinsdagmiddag afgesloten worden. Misschien wilde Lizzy dat wel, dat zou dan in de eerste plaats zijn omdat haar omstandigheden van nu het onmogelijk maakten hun verhaal van vroeger een vervolg te geven, maar hij kon het niet stoppen. Niet om Marieke, ook niet om Lizzy...

In de avond, weggedoken achter een boek, dacht hij er verder over na. De woorden van oom Jan van zoveel jaren geleden kwamen naar voren. Oom Jan praatte die avond heel serieus over 'echte liefde'. Hij begon zijn betoog ernstig, want oom Jan was een ernstig man. Hij dacht diep na over geloof, hoop en liefde en de familie luisterde aanvankelijk ook aandachtig, met oom Jan mocht je niet spotten. Maar ondanks dat weten werd er al gauw van alles en nog wat bij gehaald en het was een vrolijke boel geworden. Hij had daaraan meegedaan, maar later, toen hij Lizzy kende, wist hij dat oom Jan de waarheid had gesproken. Veel mannen en vrouwen vinden de ware, echte liefde niet in hun leven. Ze komen wel een aardig meisje tegen en ook een leuke jongen. Daarmee hebben ze een poosje verkering, ze trouwen en ze zijn gelukkig, maar wie de ware liefde heeft ontmoet, voelt het anders. En zo was het voor hem toen hij Lizzy had en zo was het voor Lizzy toen ze bij hem was. Hij was nu negenendertig jaar, Lizzy was zesendertig, allebei nog jong en het was belangrijk de echte liefde voor de komende jaren in je leven terug te brengen als die mogelijkheid er zou zijn. Hier stokten zijn gedachten. Hij keek naar Suzanne. Ze volgde een serie op het televisiescherm. Hij kon bij zijn gedachten blijven.

Donderdagmorgen draaide hij het nummer van de familie De Winter.

Na even bellen werd opgenomen, de stem die hij uit duizenden herkende en die hem zo lief was, meldde zich op een vriendelijk, beetje zangerig toontje: 'Liz de Winter.'

'Liz, met Menno. Ik moet met je praten. Ik wil een afspraak met je maken, ergens in een restaurant in de stad.'

'Menno, luister goed. Frits, Marieke en ik hebben over die vreselijke dinsdagmiddag gepraat. Ik noem het voor mezelf een 'vreselijke' dinsdagmiddag, want ik heb spijt jou naar ons huis te hebben laten komen. Jij wilde mij zien, ik hoefde jou niet te zien, en Marieke wilde jou één keer in haar leven ontmoeten en dat ontmoeten kon alleen plaatsvinden als zij die middag als jouw dochter naar voren kwam. Dan kende jij het hele verhaal. Ik had ingecalculeerd dat je zou schrikken van de waarheid, natuurlijk zou je schrikken, maar na achttien jaren hoefde je nergens bang voor te zijn. Frits en ik zorgen voor Marieke en alles gaat goed. Maar het was beter geweest op die twee wensen nee te zeggen. Het had veel narigheid voorkomen. Maar terug naar mijn eerste woorden, Frits, Marieke en ik hebben erover gesproken en Marieke heeft gezegd dat ze in elk geval de eerste maanden geen contact met jou wil. Ze zit voor haar eindexamen en ze wil slagen omdat ze met twee jongens en twee meisjes uit haar studiegroep verder wil studeren aan de universiteit. Babbelen met jou, hoe één en ander is misgegaan, destijds, lang geleden, kan misschien gezellig zijn, maar het heeft totaal geen nut meer. Wat gebeurd is, is gebeurd en alle zorgen van die tijd zijn voor mij en voor haar volkomen opgelost. Ik vraag je niet meer...'

Menno vreesde dat ze na de laatste woorden 'te bellen' de verbinding zou verbreken en hij viel haar in de rede met de woorden: 'Liz, wij moeten met elkaar praten.'

Liz de Winter zat met de hoorn in de hand in de stoel, haar gedachten gingen snel en ze realiseerde zich: Hij kan veel kwaad doen. Hij heeft mij beloofd te zwijgen, maar ik moet hem niet tegen me in het harnas jagen. Menno Bouwsma is een man die weet wat hij wil en die zijn wil doordrijft. Ze antwoordde: 'Ik zal erover denken, Menno. Geef mij een nummer waarop ik jou kan bereiken.'

Menno noemde het nummer van de telefoon, die op het bureau in zijn kantoor stond. 'Ik ben hoofduitvoerder bij bouwbedrijf Wildervanck en Groenewegen en dat houdt in dat ik dikwijls aanwezig moet zijn op de terreinen waar werk wordt uitgevoerd. Maar ik zal morgenochtend tot tien uur in mijn kantoor zijn. Ik reken erop dat je belt. Jij kent waarschijnlijk een goed restaurant waar we elkaar kunnen ontmoeten. Vroeger zaten we knus tegenover elkaar in het kleine tentje Jannes in de Rozemarijnsteeg, Liz, weet je nog, daar kunnen we weer heengaan, maar het hoeft niet. Ik wacht op je belletje. Meisje, het beste.'

Hij wachtte nog even op een groet van haar, maar ze had de hoorn al op het toestel gelegd.

Ze belde de volgende morgen om kwart voor tien. 'Menno, met mij. Ik stel restaurant De Witte Lelie voor, dat is aan de Overtoom. Vrijdagmiddag. Om vier uur, kan jij daar dan zijn?'

'Het moet, wij moeten met elkaar praten.'

'Ik geloof niet dat het nodig is. Maar daarover praten we vrijdagmiddag. Ik zie je daar.' En weer verbrak ze heel snel de verbinding. Maar Menno Bouwsma glimlachte stilletjes in zijn bureaustoel. Hij zou haar ontmoeten...

In de avond van die woensdag merkte Suzanne op, intussen zette ze via de afstandsbediening het geluid van het televisietoestel zachter: 'Marieke heeft niet gebeld.'

'Nee, dat heeft ze zeker niet.'

'Wat wil je nu doen? Ik heb erover nagedacht, ik denk dat als jij niets doet, de familie De Winter ook niets doet. Dan gebeurt er dus niets, en bloedt de geschiedenis, die voor jou toch heel belangrijk is, gewoon dood.'

'Als er heel lang niets gebeurt, ja, inderdaad, maar er gebeurt binnenkort wel iets. Maar ik wil even afwachten. Wat ook mee speelt, daaraan dacht ik gisteren, is dat Marieke voor haar eindexamen zit. Veel studiewerk, met projecten bezig zijn, hoe heet het tegenwoordig, het zal haar bezighouden.'

Suzanne knikte, ja, dat kon meespelen. Maar ze geloofde hierin niet. Als Marieke met haar vader wilde praten zocht ze contact met hem, studiewerk of niet.

Die vrijdagmiddag parkeerde Menno Bouwsma zijn auto tien minuten voor vier uur voor het restaurant De Witte Lelie. Hij kwam vrijwel altijd op tijd bij een afspraak, maar deze middag helemaal, want Liz zou komen. Hij stapte het restaurant binnen. Het zag er goed uit, een ruime zaal, smaakvol en toch vriendelijk ingericht, beleefd personeel. Hij zocht alvast een tafel voor hen uit. Nee, niet voor het grote raam, wie weet wie hier vanmiddag langsliep en hem of Lizzy, of nog erger, hen beiden herkende. Hij grijnsde om dat denken, want het zou toch wel heel toevallig zijn als dat gebeurde, maar het was beter elk risico te vermijden.

Lizzy stapte drie minuten na vier uur de zaal binnen. Ze droeg een mantel van een mooie stof en een prachtige kleur donkergroen. De jas paste bijzonder goed bij de groengrijze ogen. Het dikke, blonde, kortgeknipte haar viel losjes om haar hoofd. Ze kwam met een glimlach rond haar mond naar het plaatsje waar hij zat.

'Dag, Menno,' begroette ze hem. Ze zette een handtasje op de tafel en knoopte de mantel los. Ze trok hem niet uit. Menno zag het als teken van haar kant het gesprek kort te willen houden. Hij vroeg haar niet waarom ze haar mantel niet uitdeed. Laat maar zo.

'Wat wil je drinken?'

'Vier uur, koffietijd, graag een kopje koffie.'

Toen een ober de koffie voor hen had neergezet leunde Menno iets naar voren naar haar toe, maar niet te veel. Het was bedoeld als een gebaar van vriendschap, maar hij moest hiermee voorzichtig zijn. 'Lizzy, ik ben ervan overtuigd dat een goed, rustig gesprek tussen ons tweetjes belangrijk is. Wij zijn in het verleden geen lange tijd met elkaar omgegaan, maar die weken waren wel prettig en fijn. We waren verliefd op elkaar, we hielden van elkaar, we waren jong en vrolijk, we vonden het allebei heerlijk elkaar ontmoet te hebben. Deze woorden klinken jou misschien wat overdreven in de oren...'

Liz viel hem in de rede: 'Nee, dat niet, Menno. Ik herinner me uit die tijd dat je goed kunt praten.'

Menno ging er niet op in. Het was beter verder te praten. 'Ik heb de herinneringen aan die weken in mijn geheugen opgeslagen en ik zal ze nooit vergeten.'

'Ik vergeet ze ook niet.' Hij wist dat ze eraan wilde toevoegen: Maar ik denk er op een andere manier over dan jij, maar ze sprak die woorden niet uit.

'Ik wil graag, dat wij als twee volwassen, verstandige mensen met elkaar in gesprek gaan. En ook als twee mensen, die nu iets ouder en hopelijk wijzer zijn dan toen. Wij hebben een verbond, wij hebben samen een kind. Een mooie, lieve dochter. Zij is van jou en zij is van mij.'

'Zo zie ik het niet.'

'Ik wil je er liever niet aan herinneren, Lizzy, maar omdat ik hoop dat dit gesprek tussen ons eerlijk en open verloopt, moet ik het naar voren halen. Je hebt achttien jaar geleden het weekend van ons samen,' hij keek haar recht aan en zij keek met een afwachtende blik naar hem, hij zag onrust in de groengrijze ogen, 'het was het weekend van onze liefde, jij hebt wat toen gebeurd is in de dagen erna volkomen verkeerd beoordeeld. Ik heb er natuurlijk over nagedacht. Ik vroeg me af of je in mij een man zag met de streken van je vader, dat was toch een mogelijkheid, maar misschien was het ook, achteraf, schrik over wat tussen ons had plaatsgevonden. Maar vast staat dat je die avond, hoe zeg ik het met de mooie woorden die hierbij passen, je met me bent meegegaan in onze liefde. Maar je hield de foute beoordeling achttien jaar vast en in die jaren groeide in jou het denken naar een zeker weten. Zo was het en niet anders. Maar ik heb je de dinsdagmiddag van onze ontmoeting al gezegd dat het niet is geweest zoals jij dacht dat het was en je hebt me laten weten, zonder veel woorden overigens, dat je er ook van overtuigd was dat het inderdaad is geweest zoals ik toen vertelde.'

'Menno, het heeft weinig zin nu, veel jaren later, over dat weekend te praten. Wat gebeurd is, is gebeurd. We zijn allebei verder gegaan met ons leven. Jij ontmoette Suzanne, je werd verliefd op haar, je bent met haar getrouwd en je hebt verteld dat jullie huwelijk goed is. Ik kende Frits al lange tijd, hij was een collega van me. Hij was verliefd op me. De avond waarop hij me dat toevertrouwde moest ik hem vertellen over mijn zwangerschap. Ik verwachtte dat het het einde van onze vriendschap betekende, nou nee, dat hoefde niet direct, maar wel het einde van zijn liefde voor mij. Maar Frits wilde ondanks dat graag met mij trouwen en hij wilde dat het kindje, als zoontje of dochtertje in ons gezinnetje werd opgenomen. Ik zeg niet dat ik in die tijd dolverliefd was op Frits, ik had een andere verliefdheid meegemaakt met jou, onstuimiger, heftiger,' ze glimlachte naar hem, 'Frits is rustig, hij overweegt meer voor een besluit te nemen, niet zoals wij toen: gaan we wel of niet dollen in het Vondelpark, maar Frits is voor alles een goede man. Hij is een fijne man. We kennen elkaar en we begrijpen elkaar, we hebben een goed huwelijk. En ik wil niet dat daar, op welke manier dan ook, iets aan beschadigd of aan kapotgemaakt wordt. Ook niet door het nu weten voor jou van je biologische vaderschap. Marieke is de dochter van Frits en mij, al bijna negentien jaar. We voeden haar samen op. We hebben een fijn gezin met onze kinderen Marieke, Ineke en Thomas en ik wil dat het zo blijft. Jij begon deze ontmoeting met de opmerking dat je een goed gesprek wilt tussen ons, twee verstandige mensen. Zo'n gesprek wil ik ook. Nu leg ik op tafel wat in deze geschiedenis voor jou verstandig is om te doen. Ik begrijp heel goed jouw verlangen contact met haar te hebben. Er zullen onmiddellijk na het horen van mijn zwangerschap heftige emoties in je zijn boven gekomen, dat kan niet anders. Je bent een gevoelig man, dat weet ik, het moet jou overdonderd hebben. En kort daarna het zien van het kind, haar voor je te zien staan. En de gelijkenissen tussen jullie. Het moet een overrompelende belevenis voor je zijn geweest die tegelijk heftig en onvoorstelbaar was. En na de eerste gevoelens van verbijstering stond voor jou vast: dit kind laat ik niet meer los!'

Lizzy zweeg. Ze keek Menno recht aan. Hij keek naar haar. In zijn hoofd rolden de beelden die zij naar voren had gebracht voorbij. Ja, zoals ze het tekende was het werkelijkheid voor hem geweest.

Hij hoorde haar stem weer. Rustiger zei ze nu: 'Marieke is achttien. Dat is een leeftijd waarop veel meisjes, die in een beschermd gezin, bewaakt en gekoesterd door liefdevolle ouders zijn opgegroeid, nog niet stevig in het leven staan. Ze weifelen, ze dromen, ze kampen met onzekerheden, ze weten niet wat de toekomst zal brengen. Niemand weet wat de toekomst zal brengen, maar die meisjes zijn er onzeker en bang voor. Marieke is zo'n meisje. Ze zit nu voor haar eindexamen van het Erasmuscollege. Ze wil dolgraag slagen, want als ze slaagt gaat ze met twee van de jongens en twee van de meisjes uit haar groep verder studeren aan de universiteit. Het zal een leuke groep zijn.

Frits en ik hebben na de dinsdagmiddag vier lange avonden met haar gepraat. De eerste avond overheerste voor haar de grote emotie die ook jou overheerst zal hebben. Zij wist al van haar biologische vader. We vertelden haar daarover toen ze tien jaar was. Ze knikte toen, maar ze begreep er niets van. Ze vroeg ook niet verder, ze nam het op als een mededeling waarmee ze niet veel kon.

Kortgeleden zei ze mij dat ze jou wilde zien. Weet je het motief? Nee? Ik vertel het je. Soms dacht ze: hoe zou die vader eruitzien? Eigenlijk kon ze zich bij elke man die ze tegenkwam afvragen of hij misschien haar vader was. Als ze jou één keer had gezien hoefde ze niet langer te kijken. Na jou gezien te hebben wist ze: hij is mijn biologische vader. Geen twijfel mogelijk. De ogen en het haar zeggen genoeg.' Lizzy glimlachte naar hem. Menno bleef naar haar kijken en probeerde opkomende gedachten in zijn hoofd een halt toe te roepen. Dit praten had hij van haar niet verwacht. In bijna alle gesprekken tijdens het werk deed hij het woord, ook met de werknemers op een bouwplaats, met de toekomstige eigenaren van het uit de grond te stampen project, de opdrachtgevers dus en eveneens op het kantoor. 'Jongens, luister naar me...' en ze luisterden. En thuis, bij Suzanne. Hij glimlachte even, maar Liz zag die glimlach niet.

'Na die vier avonden besloot Marieke, hoor je wat ik zeg, besloot Marieke dat ze de eerste maanden, in elk geval tot na het eindexamen, geen contact met je wil. Ze leeft al achttien jaar blij en genoeglijk zonder jou, daar kunnen nog wel een paar maanden bij! Ze heeft veel dingen aan haar hoofd, vooral de studie, maar ook hechte, fijne vriendschappen met de jongens en meisjes om haar heen. Ik vraag je dus, Menno Bouwsma, haar voorlopig met rust te laten. Ze heeft dat nodig en ook, dat kan ik je verzekeren, als je nu contact met haar zoekt zal je dat weinig resultaat opleveren. Want Marieke de Winter heeft geen karaktereigenschappen van vader Frits de Winter meegekregen, maar ze heeft ze wel van jou. Ze heeft voornemens die ze waar probeert te maken en daaraan houdt ze vast.' Menno voelde de teleurstelling over dit praten, maar gelijktijdig kwam er een listig plannetje in hem boven; als hij geen contact met Marieke kon leggen, misschien lukte het dan wel met Liz. Het verleden van hun liefde, er was een verbond tussen hen geweest en daarvan was beslist iets over gebleven. Hij voelde het bij zichzelf. Deze jonge vrouw tegenover hem boeide hem en vooral nu, door haar praten.

Hij zuchtte een ietwat dramatisch zuchtje en Liz glimlachte daarom. 'Lizzy, je beseft niet hoe graag ik Marieke wil zien. Maar vooral, omdat ze mijn dochter is. Ze is voor mij heel bijzonder. Een meisje dat zo sprekend op mij lijkt, er zijn geen woorden voor nodig, iedereen kan zien dat dit een kind van mij is! Ik wil met haar praten, meer van haar weten, haar leren kennen, maar ik begrijp dat het op korte termijn moeilijk zal zijn. Ik kan bijna niet wachten haar naar me toe te halen, maar zij heeft de uitspraak gedaan: "Ik weet al vele jaren van mijn biologische vader zonder hem te kennen, dat ging goed, het kan nog even zo voortgaan..." En zo is het mogelijk voor mij ook, nuchter gesproken, het kan nog even zo duren... Maar ik voel het anders, Liz, ik voel het anders! Ik wil meer van haar weten, over haar horen vertellen, hoe ze was als kleutertje, jij weet dat natuurlijk, maar ik weet dat van mijn eigen kind niet. De jaren op de lagere school, was ze vaak angstig voor de grote jongens uit de hoogste klassen, je hoort daar tegenwoordig veel over. Het kan een klein meisje beklemmende angstgevoelens bezorgen en...'

Liz legde haar handen op de tafel. Hij keek naar de bewegingen, dit had een bedoeling. Hij zweeg

'Menno, je moet niet denken dat ik je niet begrijp. Wij kenden elkaar destijds niet langer dan vier of vijf weken, maar in die tijd is er veel gepraat en ik durf te zeggen dat ik weet hoe jouw denkpatronen in elkaar passen en op welke manieren je je gevoelens verwerkt. Ik begrijp dus dat je contact met Marieke wilt. Maar, ik heb er al over verteld, het is beter het de eerste maanden voor je uit te schuiven, het uit te stellen. En dat zal een groot voordeel hebben, want in die tijd dringt alles wat Marieke over jou heeft gehoord beter tot haar door en krijgt het een plaatsje, ze vormt zich een beeld van jou. Het is een serieus en nadenkend meisje, maar ze is nog maar achttien, nog jong dus. Voor jou geldt in de maanden van afwachten hetzelfde. Je hebt, neem ik aan, Suzanne over Marieke verteld, toen je na die heftige dinsdagmiddag thuiskwam.' Ze keek hem aan en hij knikte instemmend. Lizzy had een stil, blij gevoel in zich. Het ging goed, Menno zou Marieke voorlopig met rust laten en dat was haar doel voor deze middag. Het zag er goed uit. Hij had begrip voor haar argumenten. Ze praatte verder: 'Dan schept het voor Suzanne en jou de gelegenheid te wennen aan de zekerheid dat er een kind van jou op de wereld rondloopt, maar dat zij officieel de dochter van Frits de Winter is.'

Menno Bouwsma knikte instemmend, maar eigenlijk interesseerden al deze woorden hem niet meer. Zijn gedachten waren bij zijn plannetje contact te houden met Lizzy. Hij boog zich over de tafel heen naar haar toe en keek haar recht aan. 'Lizzy, het klinkt jou waarschijnlijk als een beetje een onnozel voorstel van zo'n grote vent als ik in de oren, maar zou jij, je bent de moeder van Marieke, de moeder van het kind van ons tweetjes, mij over haar willen vertellen? Je kunt niet aanvoelen hoe graag ik meer van haar wil weten. En jij weet alles van haar.'

Hij zag de weifeling, hij moest nu niet verder aandringen. Hij zweeg dus en zij antwoordde: 'Daar is niet zoveel op tegen, Menno. We zijn tenslotte goede maatjes geweest. Het was voor een korte tijd, maar tot de bewuste zaterdagavond was het goed tussen ons. Jij bewaart een geheim van me, ik wil daarover liever niet praten, maar ik zeg je nu dat ik het in je waardeer. Ja, we kunnen elkaar nog eens ontmoeten. Ik bel je wel. Ik ga nu naar huis. Ineke en Thomas zijn intussen uit school gekomen en ook Marieke zal er snel zijn. Ik loop niet met jou mee naar buiten. Ik bel je als er een gelegenheid is met je te praten. Misschien kan ik een paar foto's meenemen die gemaakt zijn toen Marieke een klein hummeltje was. Een mooi, lief kindje.' Ze lachte naar hem, waarom ook niet, alles was open en eerlijk tussen hen, ze hadden allebei een andere keus in hun leven gemaakt, maar ze hadden het beiden goed. 'Menno, tot ziens!' Ze liep de zaal door naar de deur van de hal zonder om te kijken.

4

ONGEVEER GELIJK MET HET TIJDSTIP WAAROP LIZZY DE WINTER DIE donderdagmiddag het restaurant De Witte Lelie binnenstapte, liet Karel Voorberg, leraar wiskunde aan het Erasmuscollege, zijn blikken dwalen over de leerlingen van de hoogste klas. Het lesuur was ten einde, er werd gebukt naar de tassen, die naast de tafels op de grond stonden en er werd alweer op gedempte toon gepraat en gelachen.

'Ik heb jullie een en ander uitgelegd over de opgave, ik heb ook een goede tip gegeven, nu is het aan jullie te zoeken naar de oplossing van het vraagstuk.'

Er klonk gebrom in het lokaal en hij ving zacht uitgesproken niet bepaald vleiende opmerkingen in zijn richting op, maar dat was normaal, Karel Voorberg hoorde het en glimlachte erom en deed er verder niets mee.

Het zou overdreven zijn te zeggen dat Voorberg van deze groep jongens en meisjes hield, zo was het natuurlijk niet, maar hij kende ze al vanaf de dag waarop ze voor het eerst het gebouw binnenstapten. Toen was het een groep van zesentwintig leerlingen. Alle zesentwintig nog kinderen, gemiddeld dertien jaar, en ze begonnen vol goede moed aan de studie op Het Erasmus, maar er was ook argwaan en het gevoel het voorzichtig aan te doen, eerst maar even de kat uit de boom kijken om te zien hoe het hier werkte. In de tweede klas veranderden ze van ietwat verlegen jongens en meisjes in nog heel jonge mensen die zich thuis gingen voelen op de school. In de derde en de vierde klas waren ze Karel Voorberg vertrouwd en eigen geworden. De groep was na het afhaken in elk jaar door één of twee leerlingen, gekomen tot het aantal van achttien en nu, deze middag, rondkijkend door het lokaal, was hij zich ervan bewust ze één voor één redelijk goed te kennen. Anton van Ameringen bijvoorbeeld, de jongen hing op zijn stoel en keek met een norse, ontevreden trek op het gezicht om zich heen. Deze knaap had het moeilijk met zichzelf, wist Voorberg. Anton kon geen goed contact maken met zijn klasgenoten. Zij wilden liever geen contact met hem, er was geen aardigheid aan die vent, altijd nare opmerkingen en altijd dwars tegen de draad in. Joop Muntendam zat op de stoel voor Anton. Een vriendelijke jongen, die op het moment waarop Karel naar hem keek luid lachend iets naar zijn buurman riep. Allebei even dolle pret. Dan Anneke Strik, een ernstig meisje. Anneke was niet één van de begaafdste leerlingen, ze moest stevig aanpoten om bij te blijven en een grote handicap voor het kind was dat haar ouders, en vooral haar vader te hoge verwachtingen had van zijn dochter. Zijn vrouw en hij groeiden in armoede op en ook al zou vader Strik een bolleboos zijn geweest, hij kwam niet verder dan de laagste tree op de maatschappelijke ladder. Er was geen geld om te studeren, maar dat zou voor hun dochter anders worden: Anneke ging naar de universiteit! Het zou haar vanavond de nodige hoofdbrekens kosten de goede oplossing van zijn opgave te vinden. Overmorgen, als het werk werd ingeleverd, maar even nakijken en als het niet was zoals hij hoopte, moest hij Anneke de uitleg geven. Dan begreep ze het misschien. Hij keek naar Edwin Winkelaar. Een grote, blonde, sympathieke jongen. Vriendelijk en voorkomend. Niet overdreven uitbundig, maar hij kon gezellig meedoen met de groep. De ogen van Karel Voorberg dwaalden naar Ingrid de Ruiter. Ze babbelde en giechelde alweer volop, een leuke meid trouwens en dan Marieke de Winter, die met een lachje luisterde naar Betty Schoonhoven.

Door het pad tussen de tafels en stoelen door schoof Edwin in de richting van Marieke. Karel Voorberg zag het. Hij had een binnenpretje, want hij wist al een poosje dat Edwin meer contact met Marieke wilde. En waarschijnlijk had Marieke dat ook al in de gaten.

Meisjes waren slim in deze zaken, maar Marieke wachtte rustig af. Karel Voorberg zag de over het algemeen kortstondige liefdetjes komen en gaan en hij genoot er stilletjes van. Maar deze contacten tussen de jonge mensen waren toch de voorboden van wat later in hun leven een belangrijke plaats ging innemen, de liefde. Edwin praatte even met Nico Beemsterboer, want Betty en Marieke waren nog niet uit gekletst, maar zodra Betty haar tas onder de arm klemde en in de richting van de deur van het lokaal liep, kwam Edwin naar Marieke toe.

'Marieke?' Ze was bezig de boeken en multomap in haar tas te bergen, ze keek op, ze zag Edwin. Ze had hem al in haar richting zien schuiven. Edwin, leuke jongen. Ze was een beetje verliefd op hem en na het vragend noemen van haar naam antwoordde ze: 'Ja?'

'Ik loop met je mee naar buiten. Ik wil je iets vragen.'

'Ik ben zo klaar. Even de boeken mijn tas in jonassen.' Ze pakte de tas aan de bovenkant stevig vast en liet hem krachtig op de tafel dreunen. 'Zo, nu zit het hele zootje erin. Mijn etui in het voorvakje en we gaan.'

Ze liepen naar de deur, het lokaal uit, de trap af, door de grote hal en via de openstaande deuren in de richting van de fietsenstalling.

'Marieke, ik wil je eerst zeggen dat ik je heel aardig vind. Dat vind ik al een hele tijd, al vanaf het vorige jaar, maar ik durfde het nooit tegen je te zeggen. Maar nu wil ik er niet langer mee wachten. Over mijn vraag moet ik eerst iets vertellen. Mevrouw Westerterp noemt zoiets een inleiding. De inleiding is dat mijn opa en oma volgende week vrijdag vijfenveertig jaar getrouwd zijn. Het is niet voor te stellen, vijfenveertig jaar, dat is toch een vreselijk lange tijd, maar het is wel zo. Ik heb erover nagedacht, zo lang dag en nacht bij elkaar zijn, het moeten vijfenveertig jaar geven en nemen zijn geweest. Ruziemaken en het weer afzoenen, luisteren en soms denken 'ik bemoei me er niet mee' maar ook af en toe heftig uithalen naar de ander. En toch blij zijn met elkaar, want, Marieke, dat zijn mijn opa en oma nog steeds! Vijfenveertig jaar is niet echt een getal waarbij bruiloftsfeesten worden gehouden, maar mijn grootouders zijn allebei in de laatste drie jaren ziek geweest, in het ziekenhuis opgenomen, hoop houden en bidden door de familie, maar gelukkig zijn oma en opa er bovenop gekomen. Nu willen ze het niet uitstellen tot ze vijftig jaar getrouwd zijn om met kinderen, schoonkinderen en kleinkinderen en de rest van de familie een groot feest te houden.' Hij keek lachend naar haar. Ze stonden bij hun fietsen.

'Je zei het leuk, Edwin, over geven en nemen en af en toe denken je kunt mij nog meer vertellen, maar zo zal het toch dikwijls gaan. En niet alleen bij jouw grootouders, maar bij veel echtparen die jarenlang met elkaar in één huis wonen, aan één tafel eten en in één bed slapen. Hoe houden ze het vol! Jouw opa en oma hebben elkaar destijds trouw beloofd en ze hebben zich aan die belofte gehouden. Een goed idee dat met een prachtig feest te vieren. Ze vinden dat ze dat verdiend hebben. En wij vinden ook dat ze het verdiend hebben.'

'Ja. Nu hebben mijn oma en opa een aardig koppeltje kleinkinderen, en ze hebben beslist dat de kleinkinderen, die ouder zijn dan zestien jaar een vriendje of vriendinnetje mogen meenemen naar het feest! Mijn zus is vijftien, ze heeft een leuk vriendje, maar hij mag niet mee, want oma vindt dat een meisje van vijftien te jong is om serieus met een jongen om te gaan. Ze zegt: "Het zijn nog kinderen."' Edwin sprak de woorden op een ernstige toon uit. 'Maar ik mag dus een meisje meenemen en ik wil heel graag, Marieke, dat jij als mijn meisje meegaat naar het feest van mijn opa en oma.'

'Dat wil ik wel,' antwoordde ze meteen spontaan, 'het lijkt me erg leuk, vijfenveertig jaar getrouwd; vieren ze het met een echt, ouderwets bruiloftsfeest? Met voordrachten en liedjes waarin bruid en bruidegom bejubeld worden omdat ze zo goed en lief zijn geweest, en ook met liedjes waarin minder leuke voorvallen uit de voorbije jaren op een grappige manier naar voren worden gebracht. Ja, ik heb wel zin om met je mee te gaan. Bijna alle mensen in het gezelschap zullen onbekenden voor me zijn, jij stelt ze allemaal aan mij voor, oom Jaap en tante Nelie, oom Joop en tante Rosita,' ze noemde lachend nog een paar namen, 'maar ik ken in elk geval jouw moeder. We hebben meerdere middagen met de groep in haar keuken vergaderd, je moeder zorgde uitstekend voor frisdrank en lekkere hapjes. Edwin, ik wil met je meegaan en dat wil ik ook nog even naar voren brengen,' ze lachte ondeugend naar hem, 'jij hebt gezegd dat je mij niet onaardig vindt, maar ik vind jou echt een leuke knul.' 'Ik heb de woorden "niet onaardig" niet uitgesproken, jij verdraait nu al wat ik zeg, hoe moeten we dat meer dan vijfenveertig jaren volhouden, want onze trouwdag staat nog niet eens op de kalender! Ik heb gezegd dat ik je heel aardig vind.' Hij boog zich naar haar toe en kuste haar op haar mond.

Thuis stond Liz in de keuken. Ze was bezig met de maaltijd, maar haar gedachten waren bij het gesprek van die middag met Menno. Ze was er tevreden over. Ze had het voor elkaar gekregen dat er voorlopig een poosje rust rond Marieke zou zijn. Over enkele weken stond het eindexamen te wachten. Menno begreep dat het voor Marieke een spannende tijd ging worden, daarom had hij toegegeven, maar ze wist zeker dat hij niet akkoord ging met de wens van Frits en haar, Marieke totaal los te laten. Ze had die wens even naar voren gebracht, maar ze wist dat het een poging was die niet zou slagen, want nu Menno wist van zijn dochter liet hij haar niet meer los. Vanuit de huiskamer klonk harde muziek. Ineke oefende danspassen. Ze telde de stappen met een luide stem mee: 'Drie, vier en draaien!' Thomas zat op de bank met een opengeslagen schrift op zijn knieën. Hij riep dat die vreselijke muziek uitgezet moest worden; hij was morgenochtend als eerste aan de beurt om de tafel van negen op te zeggen, juf had het gezegd: 'Ik begin bij jou, Thomas!' Maar met die rotmuziek kwam hij niet verder dan vijf keer negen is vijfenveertig.

Marieke stapte naar de deur tussen kamer en keuken en trok hem met een stevige ruk dicht. Die twee konden het heel goed samen uitvechten.

'Mam, Edwin Winkelaar heeft gevraagd of ik met hem wil meegaan naar de bruiloft van zijn grootouders. Zijn opa en oma zijn volgende week vrijdag vijfenveertig jaar getrouwd.'

'Dat is leuk, lieverd. Heb je daar zin in?' Liz keerde zich van het aanrecht en keek haar dochter aan. 'Is er iets tussen jullie? Je noemt zijn naam af en toe, maar je noemt net even dikwijls de namen van de andere jongens. Ook van de meisjes natuurlijk, maar die zijn in dit onderwerp niet belangrijk. Die tellen even niet mee.'

'Ik vind Edwin allang erg aardig. Hij is, als ik hem vergelijk met de andere knapen in onze klas, zo heerlijk zichzelf. Dat valt me steeds weer op. Edwin is geen opschepper, ook geen stille toekijker naar wat anderen verkeerd doen, zoals Anton, meteen met rotopmerkingen komen en zotte adviezen geven, nee, Edwin is een fijne jongen. Ik wil graag met hem meegaan. En na dat feest wil ik nog zijn meisje zijn! Mam, ik weet eigenlijk niet hoe dat voelt.'

'Het wordt hem knuffelen en fluisterend je geheimpjes vertellen en elkaar kussen.' Liz lachte. 'Nee, mijn meisje, ik plaag je alleen. Ik hoop dat Edwin en jij een gezellige tijd met elkaar hebben. Je hebt in de zes voorbije schooljaren op Erasmus niet echt een vriendje gehad en dat komt toch vaak voor op middelbare en hogere scholen. Maar er moet wel iemand in je klas zijn die je aardig vindt! Edwin zat wel in je klas, maar op deze manier keken jullie nog niet naar elkaar.' Een korte stilte, toen vroeg Liz op een heel andere toon: 'Wil jij de orde in de kamer herstellen? Ik kan niet bij de soep vandaan. Ineke moet voor de uitvoering van de gym een dansje instuderen en zo te horen is ze daar druk mee bezig, maar Thomas kan in de herrie de tafel van negen niet in zijn bolletje krijgen. Help jij hem even op weg. Jij kent de tafel van negen toch nog wel?'

Twintig minuten later stond de tafel gedekt. Frits kwam thuis, Liz en Marieke zetten de schalen op de onderzetters en in een redelijke rust, eerst het vertellen van Ineke over de komende uitvoering van de gym, daarna kleine plagerijtjes van haar naar Thomas toe, bleef de sfeer goed.

Na de maaltijd en nadat de keuken was opgeruimd, ging Marieke naar haar kamer. Het huiswerk en vooral de wiskundeopgave van Voorberg onder handen nemen. Ineke stapte op de fiets om met Carola nog een paar maal de danspassen door te nemen. Zij stonden bij de komende uitvoering twee aan twee op het toneel en Thomas kende nu de tafel van negen. Hij speelde in zijn slaapkamer met zijn auto's.

'Vrouwtje,' begon Frits, in Lizzy kwam bij het horen van dat woord haar eigen binnenpretje boven. Frits gebruikte in zijn praten met haar dikwijls dezelfde openingswoordjes en aan dat woordje wist zij dan al in welke richting het gesprek zou gaan. Zoals nu, de lieve klank in het woordje 'vrouwtje'. Ze keek met een lachje naar hem, maar tegelijkertijd kwam een gedachte naar voren die niet zo leuk was tegenover hem. Ze moest opletten zich niet over de voorbije middag te verspreken. Frits wist niet van haar praten met Menno en dat praten had haar meer aangegrepen dan ze wilde toegeven. Daarnaast wilde ze Frits vertellen over het bereiken van haar doel, dat Menno had beloofd Marieke in deze zware eindexamentijd met rust zou laten. Even hield de gedachte 'maar er is toch niets meer tussen Menno en mij' haar bezig, maar door de stem van Frits was ze terug in hun eigen huiskamer. Frits maakte zijn zinnetje af met de woorden: 'Wat heb jij vandaag gedaan? Opeens schiet me op dit vlak een vaste opmerking van Klaas Westerlee te binnen. Klaas zegt het dan zo: "Hoe was je dag?" Hij vraagt nooit: "Hoe was je nacht?" Ha, ha,' Frits lachte hartelijk. Hij vond dit een grappige toevoeging van zichzelf. 'Ik vraag nu: hoe was jouw dag vandaag?'

'Je weet dat er genoeg werk is voor een vrouw met een man en drie kinderen. Ik noem niet alles op, een klein greepje uit het geheel kan wel, opruimen, wassen, strijken, inkopen doen, voor het eten zorgen... Daarmee was ik bezig, maar je weet, Frits, dat ik het met plezier doe. Het is saai werk en het geeft geen voldoening. Om tien uur schuif ik de schone borden en schalen in de servieskast, na de avondmaaltijd staat het hele stelletje weer vuil op het aanrecht. Zo is het met veel werkzaamheden in een gezin. Keurige stapeltjes broekjes en hemdjes en shirtjes naar de slaapkamers brengen en na twee dagen de wasmand weer zien uitpuilen. Het enige voordeel dat ik heb, boven waarover mijn moeder vroeger zo heerlijk kon klagen, het woordje opruimen, valt in ons gezin mee. Ik heb de kinderen vanaf hun vijfde jaar geleerd op te ruimen.' Terwijl ze dit alles zei, dacht ze: het is niet meer dan onnodig en onzinnig geklets, maar goed, het kon ook geen kwaad Frits nu en dan te laten weten dat er veel werk in hun gezin is en opeens, tussen dit denken door, dacht ze aan het laatste berichtje van Marieke.

'Maar er is wel een leuk bericht in ons gezin! Marieke vertelde me vanmiddag dat ze een vriendje heeft! Het is Edwin Winkelaar. Jij kent die jongen niet, maar zijn naam is meerdere malen voorbij gegaan in ons huis. In de tijd toen hij niet meer was dan een jongen in haar klas. De opening van deze liefdesaffaire is het feit dat de grootouders van Edwin binnenkort vijfenveertig jaar getrouwd zijn en die geweldige prestatie met een groot feest willen vieren. Edwin mag een meisje meenemen en omdat hij Marieke aardig vindt heeft hij haar gevraagd. En het is niet de bedoeling dat de vriendschap tot aan het einde van de avond van het feest duurt, nee, volgens Marieke voelen ze echt iets voor elkaar.'

'Ik vind het prima dat ze een vriendje heeft, dat is op haar leeftijd vrij gebruikelijk, maar ik ben met dit bericht vooral blij, Liz, omdat de liefdesgeschiedenis haar zal bezighouden. Denken over die jongen, praten over die jongen, verlangen naar die jongen... Wat is zijn naam ook alweer? O ja, Edwin Winkelaar. Je zult zien hoe hij haar gedachten afhoudt van Menno Bouwsma.'

Liz keek naar hem met een blik vol weifeling. 'Denk jij dat het zal gebeuren? Ik hoop het, maar ze is in haar gedachten erg bezig met Menno Bouwsma. Nadat we met z'n drietjes hebben gepraat wilde ze jouw voorstel aannemen Menno voorlopig naar achteren te schuiven. Het eindexamen is nu het belangrijkste voor haar. En vooral omdat ze met het groepje, dat zich vanaf vorig jaar heeft gevormd, naar de universiteit wil. Edwin hoort ook bij dat groepje. Dat is voor haar een grote stimulans goed door het eindexamen heen te komen.'

Ze praatten er nog over door en ze waren het roerend met elkaar eens...

De volgende morgen na het ontbijt, Liz zette de vuile broodbordjes op elkaar om ze op het aanrecht te plaatsen, vroeg ze aan Marieke: 'Het duurt nog een klein weekje voor het feest van opa en oma Winkelaar begint, jullie liefde kan intussen alweer voorbij zijn.' Even plagen. 'Maar als dat niet gebeurt, Marieke, heb je dan iets leuks en netjes om aan te trekken? Je kunt niet in een spijkerbroek naar mensen van in de zeventig. Zij willen goedgeklede gasten aan hun tafel.'

Marieke negeerde het plagerijtje van mama. Natuurlijk ging het tussen Eddy en haar niet uit voor het feest begon, maar ze was gewend aan dergelijke opmerkingen. Ze antwoordde: 'Daar heb ik ook over gedacht. Ik heb nog een blauwe rok in de kast hangen, maar ik voel me niet zo lekker in een rok. Meiden dragen tegenwoordig bijna geen rokken meer. En het ding is vaal, te veel gewassen in het bleekwaterrijke sop van mijn moeder. Nee, mam, eigenlijk moet ik iets nieuws hebben. Maar dan wordt het een duur bruiloftsfeestje, vind je ook niet?'

Lizzy bleef ernstig meespelen. 'We moeten het als een investering zien. Als het tussen jou en Edwin aanblijft en het is een aardige jongen die tot een aardige echtgenoot uitgroeit, is dat veel waard. Het is nu zaterdagmorgen, je moet kijken wanneer je tijd hebt om de stad in te gaan. Je weet uit ervaring dat je soms binnen een kwartier iets ziet wat helemaal je zin is, maar soms ook moeten we zes, zeven winkels doordwalen om dat ene pakje te vinden. Gelukkig zijn er genoeg mooie winkels in Amsterdam, wat dat betreft maak ik me niet ongerust.'

'Zou het vanmiddag kunnen, mam? Volgende week moet ik elke dag naar het Erasmus en, luister,' ze grijnsde breed, 'Edwin mompelde zachtjes over een stukje voordragen... Dat moet gebeuren samen met zijn broer Theo en het meisje van Theo. Ik weet niet of de woorden van die voordracht al op papier staan of dat we ons daar nog over moeten buigen. Het is een voorstel van vader Winkelaar. Hij vindt dat alle kleinkinderen, die van opa en oma houden en dankbaar zijn zulke fijne grootouders te hebben – ik heb me na die woorden al een voorstelling gemaakt van die man – dat op de avond van de bruiloft moeten tonen. En eerlijk gezegd ben ik het daar wel een beetje mee eens! Voorlopig zijn oma Nadine en Hans nog geen veertig jaar getrouwd, maar anders zou ik een geweldig gedicht voor ze in elkaar draaien! Lovende zinnen vol prachtige woorden, alleen blije voorvallen uit ons roerige verleden naar voren halen; het zou echt een mooi gedicht worden. Ik kan,' ze lachte schalks, 'alvast beginnen goede invallen achterin mijn agenda te noteren...'

Die middag stapten ze op de tram naar de binnenstad. Ineke ging ook mee. Gezellig met z'n drietjes de stad in om een leuk pak, lange broek en vlot jasje, uit te zoeken voor haar zus. Leuke bloes erbij, nee, geen jumpertje, dat past niet bij een bruiloft, een bloes in vrolijke kleuren, alle gasten zijn toch blij die avond.

Ze slaagden bijzonder goed. Het werd een pak, uitstekend van model, mooi van stof en in een schitterende kleur blauw; het stond prachtig bij de ogen van Marieke. Er werden ook nieuwe schoenen gekocht, want 'de aftrappers' die ze aan had konden er niet bij. Na afloop dronken ze gezellig koffie met een flinke slagroompunt. Heerlijk, het was een leuke middag. Liz genoot er volop van. Prettig om zo met je twee al grote meiden de stad in te gaan. Onderweg praten en lachen, maar in de winkels serieus naar de opmerkingen van elkaar luisteren, want het doel was iets voor Marieke te kiezen waarin ze er wonderwel zou uitzien.

'Het feest begint om vier uur,' vertelde Edwin maandagmiddag, 'op dat tijdstip moeten alle gasten in de grote zaal van De Koninginnehof aanwezig zijn. Mijn vader zei dat we keurig opgesteld moeten staan om een welkomstlied te zingen als het bruidspaar, eenmaal uit de witte taxi gestapt, de zaal binnenkomt. Mijn oom Andries, broer van mijn vader en zijn vrouw, tante Lies, – houd dat koppeltje bij elkaar, je kunt met ze lachen – hebben de tekst geschreven en volgens mijn ouders is het heel mooi geworden. Dat moet dus gezongen worden. Ik ben vanmorgen naar de directeurskamer gelopen en ik heb Hogerhout over het feest verteld. En, Marieke, ik voelde me trots en blij. Ik heb hem gezegd dat jij als mijn meisje met me meegaat! We krijgen een vrije vrijdagmiddag...'

'Goed geregeld, Edwin! Mijn moeder vroeg zich al bezorgd af wanneer ik naar de kapster kon gaan, ja, wanneer, een goeie vraag, druk, druk... Maar ik kan nu een afspraak maken direct na de laatste ochtendles.'

'En nog iets, Marieke. Er zit meer aan zo'n feest vast dan je van tevoren denkt. Ik heb mijn ouders over jou verteld. Ze wilden weten of ik alleen ging of met een vriendinnetje. En ik antwoordde rustig:

"Ik ga niet met een vriendinnetje, ik ga met mijn meisje. Ze heet Marieke de Winter." Vanaf dat moment branden ze van nieuwsgierigheid naar jou. Nee, liefje, tril maar niet van angst, zó nieuwsgierig zijn mijn ouders niet. Maar ze willen je graag voor de feestdag ontmoeten. Mijn vader draafde wel meteen door, even de grapjas uithangen, net iets voor hem. Hij zei: "Ik kan toch een meisje, dat ik nog nooit heb gezien, niet aan mijn familie voorstellen als mijn toekomstige schoondochter? Misschien pak ik bij vergissing een ander jong ding bij de arm. Ik veronderstel dat mijn zoon verliefd op haar zal zijn. Knap meisje, lieve ogen, en dan roep jij: 'Nee, pap, zij is het niet!' Er kunnen gekke en moeilijke situaties ontstaan op zo'n avond." Nou ja, allemaal kletskoek dus, maar je moet van de week wel bij ons langskomen. En ik wil jouw ouders ontmoeten. We maken er een voorstelavond van, maar in verband met onze drukke werkzaamheden op het Erasmuscollege, moeten we het programma in sneltreinvaart afwerken. Koffie bij jouw ouders en een wijntje en een biertje bij mijn ouders. Daarna terug naar de leerboeken om onze goede toekomst veilig te stellen.'

'Ik verwacht roerige avonden,' beaamde Marieke met een zorgelijk knikken van haar hoofd, 'maar we vechten ons er wel doorheen. Het houdt tenslotte allemaal verband met de grote feestdag, het moet dus leuk zijn.'

Thuis vertelde ze: 'Dinsdagavond komt Edwin kennismaken. Hij komt vroeg, rond halfacht en we blijven tot negen uur. En, pap, denk erom dat je niet meteen vraagt wat zijn vader voor de kost doet en hoeveel geld er op de bankrekening staat en wat voor auto hij rijdt. Dat wil je graag weten omdat je daaraan zijn maatschappelijke positie kunt afwegen.'

'Ik zal me beheersen, lieve schat, maar ik ben inderdaad in die zaken geïnteresseerd. Jij bent tenslotte onze dochter die met hun zoon het leven in wil. En mijn wijze moeder zei vroeger al: "Ruzie en onenigheid krijg je met elke partner, maar het verzwakt de pijn en het ongemak als er een leuk geldsommetje achter de hand is. Daarmee kun je dan leuke dingen doen.'"

Edwin kwam keurig op tijd. Liz herinnerde zich de jongen nog wel. Hij was enkele malen in het gezelschap van meerdere jongens en meisjes in hun huis geweest om over een ernstig onderwerp te praten, meestal ging dat dan in de richting van moeilijkheden met één van de leerkrachten, of er waren plannen een feestavondje op poten te zetten en daarover moest gesproken worden. Lizzy had haar gedachten over Edwin. Ze veronderstelde dat het een leuke, rustige jongen was, maar als er iets rechtgezet of verdedigd moest worden kon hij zijn woordje wel doen.

Deze avond kwamen rustige onderwerpen op tafel, niets aan de hand en om kwart over negen stapten de jongelui op hun fietsen om naar de familie Winkelaar te rijden.

De vader van Edwin was een grote, forse man met een vriendelijk gezicht. Hij hield de hand van Marieke even vast. Hij had een prettig knipoogje voor haar en hij zei: 'Zo meisje, heb jij het hart van onze zoon veroverd?'

En Marieke antwoordde gevat: 'Ik ben ermee bezig, meneer Winkelaar, maar ik weet nog niet zeker of het me zal lukken.'

De moeder van Edwin was een slanke vrouw, keurig gekleed, het haar goed verzorgd en ze was vriendelijk tegen Marieke. Waarom zou ze dat ook niet zijn... Ook hier verliep de avond gezellig.

Donderdagavond, het was al laat, zaten Liz en Marieke in de kamer. Allebei in pyjama, duster eroverheen, een glas warme melk voor zich. Frits was nog niet thuis na een belangrijke vergadering, Ineke en Thomas waren al naar bed gegaan.

'Het zijn malle, drukke dagen, mam. Ook op het Erasmus. Daar wordt steeds weer over het komende examen gepraat. Het lijkt alsof ze denken dat we het helemaal vergeten zijn. Nou, neem van mij aan, we denken bijna nergens anders aan! En daarnaast mijn vriendschap, mijn verkering, zoals men dat vroeger noemde, met Edwin. We hebben het zo leuk samen. Ik heb nooit geweten dat het een blij gevoel geeft bij een jongen te horen. Het is ook iets van in en om het collegegebouw niet meer alleen zijn. Zelfs in de klaslokalen. We zitten niet bij elkaar in de buurt, ik zoek Renate altijd op en zij mij, maar ik weet dat er iemand in het vertrek is die naar me kijkt en aan me denkt, die me in de gaten houdt. Had jij dat ook toen je jong was en een vriendje had? O mam, wat zeg ik nou voor domme dingen! Ik weet toch dat Menno Bouwsma je eerste vriendje was? Op de middelbare school had je geen vriendje. Daar heb ik tenminste nooit een naam over gehoord. En nu ik zijn naam noem, heb jij al een idee hoe het verder gaat voor mij en Menno Bouwsma? Weet je wat ook zo gek is? Ik kan als ik over hem denk, en dat gebeurt toch wel vaak, hij is mijn echte vader, maar ik kan niet alleen de voornaam Menno in mijn hoofd nemen, ik moet er de naam Bouwsma achteraan denken. Dat is toch vreemd? Zou het komen omdat alleen zijn voornaam, me te intiem voorkomt?'

'Lieve schat, dat weet ik niet. Ik ben wel blij dat het tot nu loopt zoals papa en ik, en jij ook, vinden dat het het beste is. We hebben er met ons drietjes over gepraat en het is voor jou beter hem gedurende de maanden tot het eindexamen naar de achtergrond te schuiven. Nu kun jij je volledig op je studie concentreren en dat is heel nuttig. Onverwachts schoof je liefde voor Edwin er nog tussen, dat is toch ook een gebeurtenis die je bezighoudt,' Lizzy lachte even, 'je hebt genoeg aan je hoofd. Gelukkig laat Menno Bouwsma niets van zich horen. Misschien, we hebben daar eerder over gesproken, zijn er hierover moeilijkheden met zijn vrouw. Zij hielp hem mij te vinden, maar ze wist niet van een kind van hem en mij. Als ze dat had geweten was ze beslist niet naar mij op zoek gegaan. Ze kan bang zijn dat het moeilijkheden voortbrengt in hun huwelijk. Die kunnen er op vele manieren uit voortkomen.'

'Ik kan me er ook geen voorstelling van maken hoe het contact tussen hem en mij in de toekomst zou kunnen zijn. Weet je, mam, dat ik hem het liefst 'meneer Bouwsma' wil noemen? Zo vreemd is hij me. Maar voor mijn gevoel kan ik dat niet doen omdat hij mijn echte vader is. Ik weet dat hij die dinsdagmiddag riep: "Ik laat haar nooit meer los!" of andere woorden van dezelfde betekenis en ik keek verbaasd naar hem, want ik wist niet hoe hij dit bedoelde. Ik wilde die man één keer zien, alleen om te weten: zo ziet mijn vader eruit, maar ik heb er nooit aan gedacht dat hij een plaats in mijn leven wil innemen en dat ik in zijn leven ingevoegd kan worden. Ik vind dat ook niet nodig. Ik woon hier, ik heb een fijne moeder en een fijne vader, een leuk zusje en een lief broertje,' toch even een lachje naar Lizzy, 'en ik heb totaal niet het verlangen contact met die man te hebben. Het kan, denk ik, alleen onrust brengen. En moeilijkheden veroorzaken. Wat vind jij ervan? Jij bent verliefd op hem geweest. Houd je nog van hem, wil je met hem en mij een nieuw gezinnetje opzetten? Maar wat moet papa dan met Ineke en Thomas en wat moet mevrouw Bouwsma...'

Liz schudde haar hoofd. 'Meisje, wat draaf je weer heerlijk door. Maar dat hindert niet. Ik begrijp dat deze gebeurtenis je bezighoudt en dat kan ook niet anders, want op een dag je biologische vader ontmoeten is een dag die je niet meer vergeet in je leven. Maar je vraag: hoe zal dat contact met hem eruit gaan zien, kindje, daar weet ik ook het antwoord niet op. Misschien heeft Menno Bouwsma er in de tijd na jullie ontmoeting over nagedacht en maakt hij dolle plannen. Je komt af en toe een weekend bij hen logeren, je bespreekt met hem al je zorgen... Ja, wat is mogelijk en wat niet. Maar, nu even ernstig, Marieke, je moet in de eerste plaats vasthouden aan wat jij ermee wilt... Niet wat hij wil. Want ik ken hem, het was indertijd een jongen die wist wat hij wilde. Hij had een doel voor ogen en hij werkte naar dat doel toe; in elk geval op het terrein van zijn studie. Ik heb ook begrepen dat hij dat doel heeft bereikt. Het is een bijzonder en interessant onderwerp, we kunnen er onze gedachten over laten gaan. Dan zijn we voorbereid op eventuele voorstellen van zijn kant. En kunnen we, en jij vooral, de stappen nemen waartoe je besloten hebt.'

Marieke knikte. 'Op het ogenblik zijn die beslissingen simpel. Ik blijf lekker bij jullie, ik heb Edwin, ik ga naar de universiteit, ik kan in mijn leven heel goed buiten deze vader.'

5

MENNO BOUWSMA LOODSTE ZIJN WAGEN BEHOEDZAAM OVER DE overvolle wegen van Amsterdam; het was ruim halfzeven in de avond en hij wilde naar huis. Maar haast moest je om deze tijd van de dag in het verkeer in de stad niet hebben. Hij leunde gemakkelijk in de zachte autostoel, hield zijn handen aan het stuur, hij hield zijn blikken gericht op de rijbaan voor hem en probeerde zijn gedachten bij dit moment te houden. Niet afdwalen, attent zijn op wat voor en naast hem gebeurde.

Het was een drukke dag geweest. Hij was drie keer heen en weer gependeld van de ene bouwput naar de andere. Hij had op dit moment twee flinke klussen onder zijn hoede. Hij sprak met de dagelijkse opzichters, hij praatte met onderaannemers die bepaalde werkzaamheden hadden aangenomen, maar ook dat werk hield hij onder zijn toezicht. Hij wist hoe belangrijk het was tijdens de bouw alles goed in de gaten te houden. Wanneer er nu iets verkeerd werd gedaan of iets werd vergeten, kon dat op dit moment nog worden opgelost, maar als gewoon werd doorgewerkt kon het later, als het werk de voltooiing naderde, problemen opleveren. Alle werkzaamheden moesten uitgevoerd worden zoals op de officiële bouwtekeningen stond aangegeven.

Ertussendoor waren, als hij even in één van de tot kantoor ingerichte bouwketen een kopje koffie ging drinken, de nodige telefoontjes geweest. Hij had een hekel aan die telefoontjes. Het waren dikwijls gesprekken die hem volkomen overvielen. Gesprekken die geen binding hadden met de werkzaamheden waaraan hij op dit moment bezig was. De beller wist welk onderwerp hij bij de kop had, hij, de luisteraar, moest daar onmiddellijk op inhaken met het juiste antwoord en het juiste advies. En soms kwamen mensen met domme, onnozele vragen aanzetten.

Hij lachte stilletjes om zijn gedachten, rustig blijven Menno Bouwsma, de werkdag is voorbij, morgen gaan we verder. Thuis wacht Suzanne op je, de tafel staat gedekt, de maaltijd is klaar, het zal stiller om je heen zijn, geen scherpe geluiden van boren, schuren of timmeren, maar mogelijk is er mooie, zachte, muziek die Suzanne heeft uitgekozen omdat ze weet hoe je na het lawaai van de werkdag rust wilt hebben...

Vanavond was hij alleen thuis. Suzanne ging met Anne en Margriet naar een bijeenkomst waar een kunsthistoricus zou vertellen over de architect Gaudi. Hij vertoonde dia's. Gaudi had meegewerkt aan de bijzondere kerk in Barcelona, de Sagrada Familia. De bouw van de kerk was nog lang niet voltooid en zou waarschijnlijk ook nooit worden voltooid, maar de lezing zou beslist interessant zijn.

Anne en Margriet kwamen langs om Suzanne op te halen, Suzanne woonde in de omgeving van het gebouw waar de dialezing werd gegeven. De dames kwamen nog even binnen. Keurige mantels aan, tasjes over de schouders. Ze begroetten Menno met de vraag: 'Vind je het niet ongezellig de hele avond alleen te zijn?' Menno antwoordde lachend: 'De televisie, een mooi boek... Ik red me wel.'

Het was stil in de kamer. Hij knipte twee lampen uit, in het schemerige licht was het prettiger nadenken. Hij schonk een glas wijn in, liep met het glas in de hand naar de kamer en zette het op het tafeltje naast zijn stoel.

Wat het begin was geweest van de grote verandering in zijn leven, de dinsdagmiddag van de ontmoeting, wilde hij snel voorbij laten glijden, er even bij stilstaan was goed, het kon niet gemist worden in zijn denkpatroon voor deze avond, maar hij kende elk detail.

Daarna wilde hij denken over wat vanaf nu in zijn leven ging gebeuren. Er kon veel gebeuren. Hij wilde ook dat er veel ging gebeuren, maar was het mogelijk en vooral, was het waar te maken... Hij wilde zoeken of er wegen waren die naar het doel konden leiden en dat doel was, hij zou het verlangen tegen niemand durven uit te spreken, maar hij kon zijn gedachten en fantasieën erover niet tegenhouden, hij verlangde Lizzy weer bij zich te hebben en met Lizzy hun kind...

Hij belde haar enkele dagen na die vreselijke en ook mooie dinsdagmiddag en hij had haar gezegd, dat hij niet nu en ook later niet tegen iemand een woord zou uitspreken over haar verkeerde zienswijze van de bewuste zaterdagavond. Ze had hem aan het einde van zijn praten gezegd dat ze dat bijzonder op prijs stelde en ze had hem ervoor bedankt.

In die eerste dagen hielden vooral gevoelens van een onbegrijpelijke blijheid hem overdag en gedurende nachtelijke uren, waarin de slaap zich niet over hem wilde ontfermen, gevangen. Maar meer nog was er een besef van onbegrip en verbazing. Hij kon die eerste week niet rustig over de feiten denken; hij had een kind, hij had een dochter. Hij had het meisje gezien en hij hoorde haar praten, een heldere, jonge stem. Dat was de werkelijkheid, een nog onbegrijpelijke werkelijkheid. Het was moeizaam tot hem doorgedrongen. Direct na zijn thuiskomst nadat hij haar had ontmoet, had hij alles aan Suzanne verteld en er met haar tot diep in de nacht over gepraat. Bijna schreeuwend had hij gezegd: 'Suzanne, ik heb een kind! Lizzy heeft een kind van mij, een meisje, een mooi meisje en ze lijkt op mij, het is echt een kind van mij!'

Suzanne was ook verbaasd geweest, natuurlijk was ze verbaasd en verwonderd en ze had veel vragen. Ze stelde ze hem, maar hij kon er in zijn verwarring geen antwoord op geven. Suzanne had een verstandige raad voor hem. 'Dit nieuws is te groot om snel te kunnen verwerken, Menno. Je moet alles wat je gehoord en gezien hebt over je heen laten komen, daarna dringt langzaamaan de waarheid tot je door en weet je wat je gehoord en gezien hebt. Dan is het jouw waarheid... En mijn waarheid.' Ja, ook de waarheid van Suzanne, dat had hij zich op dat moment gerealiseerd. Zij en hij waren getrouwd. Ook voor Suzanne betekende dit nieuws een grote verandering in haar rustige leven. Een goed huwelijk en blij zijn met elkaar. Het nieuws bracht verwarring, dat was begrijpelijk en waarschijnlijk hield de vraag haar bezig: hoe gaat dit verder in onze toekomst... Maar in die eerste dagen wilde ze vooral hem helpen en proberen evenwicht in zijn denken te brengen.

Deze avond, alleen in de huiskamer, Suzanne bij de lezing over Gaudí, stapte Menno Bouwsma over naar latere dagen na de ontmoeting.

In die week kwam het verlangen, dat hij direct na het zien van Lizzy en Marieke al had gevoeld, in bijna uitgesproken woorden opnieuw naar hem toe. Hij zat die avond op de bank, vanuit de keuken hoorde hij het lopen van de kraan, Suzanne spoelde de vuile borden af en zette ze op elkaar, als alles afgespoeld was opende ze de afwasmachine en, zoals Suzanne dat noemde, 'schoof ze alles er in'. Maar hij hoorde opeens die woorden. Het waren vier woorden. 'Ze horen bij mij.' Hij begreep ze. Logisch dat hij ze begreep, hij had ze zelf naar voren gebracht, het waren zijn gedachten, maar hij had ze niet zo scherp omlijnd gehoord als nu. 'Ze horen bij mij.' Die vrouw en dat kind horen bij mij. Lizzy was zijn grote liefde geweest en ze moest terugkeren in zijn leven. Ze hoorde bij hem en ook het kind, dat uit hun liefde was geboren, hoorde bij hem. Hij voelde dat waar te maken heel even als een opdracht aan zichzelf, maar hij was er ook van overtuigd dat het geluk van Lizzy en Marieke in de toekomst in een leven met hem zou liggen. Hij was nu negenendertig jaar, een grote vent, gezond en sterk, er lagen hopelijk nog veel jaren voor hem. In die jaren zou het grote geluk, waarvan hij zich bij de eerste, korte ontmoeting met Liz bewust was geweest, het besef 'dit is de echte liefde,' dat gevoel kende hij nog, het had hem door de jaren heen niet verlaten. Nu wist hij dat Lizzy en het kind bij hem moesten komen.

Hij herinnerde zich een gezellige avond in de huiskamer thuis. Al vele jaren geleden. Het onderwerp was verliefd zijn en trouwen en hij was daar als jongen in geïnteresseerd. Oom Johan had toen gezegd: 'Ik ben ervan overtuigd dat veel mensen op deze aardbol in hun leven de grote, echte liefde niet tegenkomen. Een meisje ontmoet op een goede dag wel een geschikte jongen waarmee ze de stap durft te zetten en de jongen wil het verbond dat huwelijk heet wel met haar aangaan. Ze denken het grote geluk te hebben gevonden, maar wie niet heeft ondervonden wat de echte liefde met je doet, kan het niet herkennen.' Het gesprek was op een lichte toon gevoerd, er werd hartelijk gelachen, maar hij wist nog dat hij in de woorden van zijn oom geloofde. Veel mensen vinden nooit de echte, grote liefde...

In latere dagen was het kalmer geworden in zijn hoofd. Hij kende de feiten nu. Liz was boos op hem geweest na de gebeurtenis van die zaterdagavond, waarschijnlijk sprak ook de schrik over wat was gebeurd een heftig woordje mee. Ze was nog maar achttien en kort daarna ontdekte ze dat ze zwanger was. Ze wilde het hem niet vertellen. Hij had haar verraden. Ze kende Frits de Winter. Frits vond haar aardig, hij was niet zo jong meer, hij wilde graag trouwen, een vrouw naast zich hebben in zijn leven, een eigen gezin en hij vroeg Lizzy met hem te trouwen. Ze zou niet alleen gedacht hebben: laat ik het maar doen, dan ben ik uit de zorgen, ik val mijn moeder en Hans niet langer lastig, Frits is een beste jongen, hij zal een fijne man zijn. Zo kil en berekenend zou het niet tot stand zijn gekomen, want zo was Lizzy niet, maar ze was wel met Frits getrouwd en haar kind had zijn familienaam gekregen. Nuchtere feiten.

Hij had de woorden 'ze horen bij mij' in zijn opwinding als een opdracht beschouwd, maar simpel lag de weg, die opdracht uit te voeren, niet. Hij was met Suzanne getrouwd. Hij had haar liefde en trouw beloofd; maar de vraag kwam in hem op, zo stilzittend alleen in de kamer was veel mogelijk, zou Suzanne, nu ze wist wat er gebeurd was, zoveel van hem houden dat ze hem liet gaan als er een kans was dat hij Lizzy terug kon krijgen in zijn leven... Hij wist het niet. Er waren soms heftige discussies tussen hen. Suzanne liet zich haar eigen kijk op gebeurtenissen niet ontnemen en hij had dezelfde instelling. Nu en dan werd het echt heftig, maar ze beseften dat het slechts praten was en als de avond ten einde liep lieten ze het onderwerp los, elk hield de eigen mening, want echt belangrijk was het niet. Hij hield van Suzanne, maar op de manier waarover oom Johan ook had gesproken, hij vond haar lief en leuk en ze konden het goed samen vinden, maar zij was niet zijn grote liefde. Hij had haar niet verteld over de opkomende woorden in zijn brein 'ze horen bij mij'. Suzanne zou het niet begrijpen. Ze zou zeggen, nuchter en ze had gelijk: Er is geen stem van buiten geweest die ze jou heeft toegeschreeuwd, het is je eigen denken, je eigen verlangen. En dat was ook zo, hij wist het. Suzanne zou het niet op zijn manier aanvoelen en begrijpen.

Na dat gesprek was er geen woord meer tussen hen gewisseld. Hij wilde dat zij contact met hem zocht. Na zijn belofte over haar geheim te zwijgen zou in haar de warmte, die ze achttien jaar geleden voor hem voelde, en het besef terugkomen dat hij een fijne vent was. Ze had toegegeven dat ze in het liefdesgebeuren had meegespeeld.

Menno Bouwsma glimlachte in de stille, schemerig verlichte kamer. Hij had ervaring in de omgang met vooral mannen in de wereld van bouwen en investeren, hij mocht zich een goed onderhandelaar noemen. Maar in deze strijd om te bereiken wat hij dolgraag wilde, zou daar een kans van slagen in kunnen zitten... Hij wist het niet. Maar opgeven was zijn stijl niet. Lizzy had zijn belofte tot zwijgen dankbaar geaccepteerd; maar ze deed er niets voor terug. Hij wist dat hij geen contact met Marieke moest zoeken. Als hij rechtstreeks contact zocht met zijn dochter, hoe klonk dat, zou het tegenwerking bij Lizzy oproepen. Het was de goede methode niet...

Hij stond op en liep naar de keuken om het wijnglas nog eens vol te schenken. Hij had overdacht wat tot nu toe was gebeurd, nu wilde hij mogelijkheden voor de toekomst zoeken.

Terug op zijn plekje leunde hij tegen de hoge rug van de stoel. Als hij met Lizzy praatte en hij vertelde haar op een gevoelige, emotionele wijze over zijn grote verlangen in zijn verdere leven haar en hun dochter bij zich te willen hebben... De avond in zijn kamer, destijds, was anders geweest dan zij thuis, terug van het heftige weekend, had gedacht. Ze waren verliefd, ze hielden van elkaar, ze hadden het liefdesspel samen gespeeld, ze kon hem niets meer verwijten, hij was nog dezelfde jongen, nu de man waarvan ze hield... In die richting moest hij praten. Hij kon ook hun herinneringen van vroeger terughalen, praten over de heerlijke zaterdagen die ze met z'n tweetjes hadden doorgebracht en waarover ze in de dagen tussen de voorbije zaterdag en de volgende zaterdag elk voor zich hun dromen hadden; zo kon hij toch praten, daarvoor was hij toch veroveraar genoeg... Als het lukte en ze voelde dat zijn droom ook haar droom was, hij en zij hoorden bij elkaar; en ook voor Marieke telde het weten van vader, moeder en kind. Maar hij moest het heel voorzichtig en puur naar voren brengen. Zijn liefde voor haar was niet voorbij en ze begreep dat hij het kind bij zich wilde hebben. Er was, die dinsdagmiddag, vlak voor ze met hem naar de gang liep om hem uit te laten een blik in haar ogen geweest die hij kende. De liefde was er ook van haar kant nog. Maakte hij het zichzelf wijs omdat hij het zo graag wilde of was het de werkelijkheid? Later was er wanhoop in zijn denken gekomen. Hij besefte dat er geen andere mogelijkheid was dan de mogelijkheden die het leven hem nu bood te accepteren. Lizzy was getrouwd, ze was moeder van drie kinderen. Maar wat hem door alle dagen en avonden heen bezighield was zijn toekomst met Liz en Marieke... In de eerste plaats natuurlijk met zijn dochter, zijn eigen dochter. Heerlijk dat te denken en daarnaast met Lizzy. Hij had haar gezien en met haar gepraat. De warmte voor haar was teruggekomen... Het mocht niet en het kon niet, maar die vier woorden pasten niet in het woordenboek van Menno Bouwsma. Mocht niet en kon niet. Waarom niet? Er was altijd een weg het doel te bereiken... Goed nadenken en de weg ernaartoe zoeken en als je de weg gevonden had de weg inslaan naar...

Toen hij niet langer kon wachten had hij haar gebeld en er was een afspraak gemaakt. Ze hadden gepraat in De Witte Lelie. Maar met de woorden, die hij nu van plan was op tafel te leggen, zorgvuldig ingepakt, aan die woorden kon hij toen nog niet beginnen. De tijd was er nog niet rijp voor. Hun onderwerp was Marieke geweest. Hij dacht met een warm gevoel aan die middag en er gleed een glimlach over zijn gezicht omdat ze, lief, dapper en moedig vrouwtje, het voor elkaar had gekregen dat hij zijn plannen, met Marieke te praten, wilde uitstellen. Ze legde goede argumenten op tafel. Het kind zat voor het eindexamen, dat betekende blokken en nog eens blokken. Hij kende het uit zijn eigen verleden. Dus geen geschikte tijd om te praten met de man die opeens bleek haar vader te zijn. Nou ja, vader, hij vond het een mooi woord en hij wilde zich ook zo voelen, maar eigenlijk was hij alleen de man die Lizzy zwanger had gemaakt. Dat maakte hem tot een vader. Maar vanaf het moment dat hij van haar leven wist, had hij grote plannen om veel in haar leven te betekenen.

Suzanne had, voor ze naar de lezing vertrok, gezegd: 'Ik heb een schaaltje met een paar hapjes voor je klaargemaakt.' Hij ging kijken waar ze dat schaaltje had neergezet. Hij liep naar de keuken en trok de deur van de koelkast open. Ja hoor, daar stond het schaaltje. Vier hartige krakelingen, heerlijk vond hij die dingen, drie stukjes kaas en drie plakjes worst. Hij kon zelf heel goed een stuk van de kaas afsnijden die ook in de koelkast lag. Hij kon dat ook van de worst, maar Suzanne maakte het zorgzaam voor hem klaar. Die zorg deed hem goed, maar gaf deze avond toch een wat kil bijgevoel. Niet aan denken. Geen zijpaden inslaan, het doel voor ogen houden.

Weer in zijn stoel wist hij wat hij moest doen. Morgenochtend naar Lizzy bellen en haar eraan herinneren dat ze hem had beloofd over de kinderjaren van Marieke te vertellen en over alles wat het meisje van nu bezighield. Ze begreep toch dat hij alles over haar wilde weten? Ja, dat zou ze begrijpen... Met iets van voldoening zakte hij wat onderuit in zijn stoel. Het was een nuttige avond geweest. Echte verwarring was er in de voorbije dagen niet in zijn denken geweest, maar wat hij deze avond had gedaan, alles op een rij zetten, was zinvol. En natuurlijk het weten hoe verder te handelen. Hij had een doel voor ogen, hij was er niet ten volle van overtuigd dat hij zou slagen, maar hij zou volhouden, het doel was het waard, het geluk van drie mensen, Lizzy, zijn dochter en hij... Maar er waren veel obstakels. Nee, zo mocht hij ze niet benoemen. Suzanne was geen obstakel. Hij hoopte alleen dat ze begrip voor zijn verlangen zou hebben. En Frits de Winter, dat was wel een moeilijk geval. Het meisje Ineke en de jongen Thomas waren kinderen van Lizzy en die man wilde Lizzy beslist niet kwijt... Of daar een oplossing voor te vinden was wist hij niet, maar hij zou haar in elk geval duidelijk maken dat zijn grote liefde voor haar nog bestond en haar de overtuiging geven dat ook haar liefde voor hem niet verdwenen was. Dat was het eerste streven...

De volgende morgen was hij rond halfelf in het kantoortje, ondergebracht in een bouwkeet op het werkterrein Wilde Weren. Hij pakte uit een lade van zijn bureau de kaart waarop hij met grote letters had geschreven: 'Niet storen. Bezig met een belangrijk gesprek.' Het blad was bedoeld om ook echt ongestoord belangrijke, zakelijke gesprekken te kunnen voeren, maar het praatje dat hij met Lizzy wilde beginnen was, voor hem, ook belangrijk. Hij draaide haar nummer. Na drie belletjes hoorde hij haar stem. Ze zei: 'Met Liz de Winter.' In de stem het zangerige toontje dat hij ook de vorige maal had gehoord.

'Lizzy, met Menno,' nu moest hij snel doorpraten om haar niet de kans te geven het gesprek direct af te breken. 'Je beloofde me elkaar nog een keer te ontmoeten, jij wilde me over onze dochter vertellen. Ik wil je aan die afspraak houden. We moeten een tijd en een plaats afspreken voor dat gesprek.'

'Ik heb dat inderdaad beloofd, Menno, want ik begrijp heel goed dat jij meer van Marieke wilt weten. Ik had tijdens de middag van de ontmoeting medelijden met je, de schok was zichtbaar heel groot voor je. Tijdens het gesprek overtuigde jij mij dat ik inderdaad niet heftig had tegengestribbeld toen jij me naar de slaapkamer wilde dragen. Die zaterdagnacht is voor mij heel frustrerend geweest, het overviel me. Het was een grote gebeurtenis en het was beslist zo dat ik het niet wilde. Nadat het gebeurd was dacht ik aan mijn vader, een man met streken zoals hij wilde ik beslist niet. Ik hoop dat je begrijpt hoe het gevoel in mij is gegroeid dat jij me hebt veroverd. Die moeilijke dinsdagmiddag in ons huis wist ik na jouw woorden dat je gelijk had. En toen je me enkele dagen na de ontmoeting vertelde dat je over mijn geheim zou zwijgen, was ik je dankbaar, Menno, en ik ben je nog dankbaar. Daarom beloofde ik dat ik ermee instemde elkaar nog eens te ontmoeten. Ik zou dan over Marieke vertellen. Ik hoop dat je begrijpt dat de dagen in die periode heel emotioneel voor me zijn geweest. Dat waren ze voor jou ook, dat begrijp ik heel goed, maar voor jou speelde op dat moment alleen het verlangen mij nog een keer te willen zien en met me te praten. Je had geen notie van het kind van ons beiden. Ik had de wil om jou te ontmoeten helemaal niet. Na mijn slechte denken over jou,' er klonk even een licht lachje via de lijn in zijn oor, hij luisterde er met verbazing naar, maar hij wilde haar vertellen niet stoppen, 'het klinkt je wellicht niet prettig in de oren, maar jou zien en horen deed me niet veel. Voor Marieke is de ontmoeting een flinke schok geweest. Ik heb dagen en nachten over wat gebeurd is nagedacht. Ik praatte met Marieke. Zij vertelde op het idee te zijn gekomen haar biologische vader te willen zien nadat één van de jongens in haar studiegroep vertelde dat zijn moeder na een vriendschap, die kort heeft geduurd, wist zwanger te zijn. Ze trouwde met een man die niet de biologische vader van haar zoon was. Toen die jongen de waarheid hoorde wilde hij op zoek gaan naar zijn biologische vader. Zij had ook een biologische vader. Het verlangen kwam boven jou te willen zien. Ze kende het verhaal erachter en dat vond ze, vermoed ik, wel interessant. Ze was vijftien toen ze me over jouw willen ontmoeten vertelde. Want haar biologische vader was de jongen, die destijds haar moeder zwanger had gemaakt. Dat detail intrigeerde Marieke. De waarheid kent ze niet. Je hebt me beloofd die waarheid nooit aan haar te vertellen.'

Menno Bouwsma ging verzitten in zijn stoel. Dit gesprek verliep goed. Hij wilde horen wat ze hem vertelde, maar hij kwam niet toe aan zijn opening...

'Marieke dacht in de dagen voor de ontmoeting niet echt na over hoe die middag zou verlopen. Ze is nu achttien, jong, blij, vrolijk en onbezorgd. Ze wilde jou één keer zien en dat zou dus gebeuren. Als je er was keek ze naar je. Maar, Menno, ze keek dan met de gedachten op de achtergrond: Dat is hem dus, de gemenerd die mijn moeder te pakken heeft genomen. Verder gingen haar gedachten voor het bezoek niet. Maar toen ze je zag, de gelijkenis tussen jullie, ja, Menno, op dat moment werden er andere gevoelens en gedachten in haar wakker. Het heeft even geduurd voor de schrik daarover was weggegleden. Alles in haar bolletje is weer hoe het tussen ons is geweest. Dat had ik verwacht; ik heb nu sterk de indruk dat het haar niet interesseert. Het is lang geleden gebeurd, ze is blij in ons gezin met haar vader, haar moeder, haar zusje en haar broertje.'

Zonder een kleine stilte in te lassen, praatte Liz de Winter verder: 'Ik heb na ons gesprek in De Witte Lelie alles overdacht, Menno, en ik ben tot de overtuiging gekomen dat het voor ons allebei het beste is geen contact met elkaar te houden. Onze geschiedenis speelde achttien jaar geleden, het is voorbij. We hebben het beiden goed in het leven, we zijn gelukkig met een andere partner, we moeten achterlaten wat toen is gebeurd. Het is beslist ook voor jou het beste. Je kent de gevaren die eruit voort kunnen komen. Jaloezie, achterdocht en het verliezen van het vertrouwen bij de vrouw waarmee jij getrouwd bent en voor mij bij de man waarmee ik het verbond heb gesloten. Wij kunnen zeggen dat er niets aan de hand is, wij zijn alleen maar vrienden van vroeger. Jij houdt van Suzanne en zij houdt van jou. Suzanne wil beslist geen breuk in jullie huwelijk. En ik ben gelukkig met Frits, ik wil hem op geen enkele manier onnodig pijn doen en dat zal praten met jou hem beslist doen.'

Lizzy zweeg en Menno begreep dat hij snel zijn kans moest grijpen iets over zijn gedachten en gevoelens te zeggen.

'Wat je zegt is beslist waar, Liz. Nuchter gesproken is dit de beste weg. Ik blijf bij Suzanne, we doen alsof er niets aan de hand is, gewoon doorgaan en jij blijft bij Frits en je gezin, ook niets aan de hand. Maar voor mij spelen twee dingen een absolute hoofdrol en dat is in de eerste plaats de liefde die ik nog altijd voor jou voel. Ik houd van Suzanne, maar het is een andere liefde dan die ik in me voelde vanaf het eerste moment waarop ik je zag. Ik heb die liefde door alle jaren heen met me meegedragen en die liefde is in mijn hart nu ik je weer heb gezien.'

Hij hoorde haar luide lach. 'Menno toch, we hebben vroeger meer dan eens over de liefde gepraat, herinner je je die ene keer nog? We zaten aan een tafeltje in de Bijenkorf, geroezemoes om ons heen, maar wij hadden het onderwerp 'de ware liefde' voor ons uitgespreid! Weet je die middag nog? Wij geloofden toen in de grote liefde, voor ons was het op dat moment de echte waarheid. Maar daarnaast besloten we, kopje koffie voor ons en een slagroompunt ernaast, dat het leven goed was, dat dit het ruime werkterrein was van de mensen die scenario's schreven voor liefdesfilms. Het was ook materiaal voor dichters. Zij kunnen mooie zinnen opschrijven over de liefde en het was ook werkmateriaal voor schrijvers en schrijfsters die lezers wilden laten wegdromen in romantische verhalen. Zo was de romantiek en het dromen over de echte, ware liefde in het leven gekomen, maar veel echtparen komen nooit aan die waarheid toe. Die wijsheid had jouw oom Jan je geleerd! Maar,' Liz lachte luid in de hoorn die ze in haar hand hield, 'wij hadden de echte liefde wel ontmoet! We babbelden er genoeglijk over, want, zei jij, je was toen een vrij nuchtere jongeling, je hoorde de ruzietjes thuis en je zag een en ander spelen in de gezinnen van familieleden, maar je geloofde wel in de grote liefde tussen ons! Het was een heerlijke tijd zo jong en naïef te zijn.'

Menno zag het gezicht van Bart Overweel voor het raampje van de directiekeet verschijnen. Een rode, verhitte kop, daarnaast een hand die de beweging maakte: kom gauw, kom gauw! Hij schudde met zijn hoofd naar dat gezicht, Bart haalde zijn schouders op en keek vertwijfeld, er was kennelijk goede raad nodig, maar Bart liep weg van de keet en Menno besefte dat hij nu heel snel naar zijn doel moest werken, want als het te lang duurde trommelde men op de houten deur...

'Lizzy, ik hoor in je woorden dat ik, nu je weet hoe het die zaterdagavond in werkelijkheid is gegaan, nog een warm, klein plekje in je hart heb. Leg daarnaast de wetenschap dat Marieke de dochter is van jou en mij. Wij zijn haar ouders en je begrijpt dat ik meer van haar wil weten. We moeten een afspraak maken om over haar te praten. Zij is ook mijn dochter.'

Even was er een korte stilte, toen zei ze: 'Goed, Menno, we praten nog één keer. Volgende week dinsdagmiddag? En maar weer in De Witte Lelie? Om drie uur?'

Hij gaf snel in één zinnetje antwoord op de drie vragen: 'Dat is afgesproken. Ik zie je daar...'

Hij legde de hoorn terug op het toestel. Hij grinnikte, hij had even een licht binnenpretje, want het was toch gelukt. Het telefoongesprek was niet verlopen zoals hij het zich had voorgesteld, maar zijn doel was bereikt. Lizzy zou dinsdagmiddag tegenover hem aan een tafel in De Witte Lelie zitten. Hij moest erover nadenken hoe hij het dan ging aanpakken, vanavond, achter de krant of in bed in het donker van de slaapkamer, want Liz was niet meer het volgzame meisje Lizzy van vroeger. Ze had destijds beslist ook een eigen willetje, natuurlijk, maar het leven was zo plezierig en heerlijk voor hen beiden. Lizzy was vrolijk en blij, er was geen reden voor haar zich moeilijk of dwars te gedragen. Maar nu was ze een jonge vrouw die besefte wat er op het spel stond als hij zijn plannen wilde doorzetten, ze waar wilde maken, en daaraan wilde ze niet meewerken. Misschien wilde ze het wel, daarvan moest hij toch een beetje uitgaan, maar ze zag te veel bezwaren en, toegegeven, daarin had ze gelijk. Maar het verlangen van een man en vrouw, die van elkaar houden, om bij elkaar te zijn is een heftig verlangen. Hij had een moeilijk te bereiken doel voor ogen, dat besefte hij heus wel, het vroeg offers, maar hij luisterde vooral naar de stemmen in zich die hem vertelden dat een man, die het grote geluk binnen zijn bereik kan krijgen, moet vechten voor dat grote geluk.

Hij bleef nog zitten, even tot rust komen, vijf minuten. Hij voelde het te snel kloppen van zijn hart, maar dat zou snel weer afzakken. Lizzy, zijn Lizzy... En Marieke, zijn dochter... Hij stond op, draaide de sleutel om in het deurslot, pakte zijn jekker van de spijker die in de houten wand geslagen was, legde het kartonnen blad met het opschrift weg en stapte naar buiten. Onrust bij metselaars en timmerlieden.

'Dit gaat niet goed!' riep Bart, hij was de voorman van de ploeg, 'kijk zelf maar! Ze hebben het totaal verkeerd in elkaar gezet! Wij weten ook wel hoe het wel moet, maar wij mogen niet handelen zonder jouw toestemming en jij zit maar te kletsen achter dat bureau.'

'Het was een belangrijk gesprek, Bart. In een bedrijf kom je er niet alleen met hard werken, er moet ook door praten en onderhandelen nieuwe contracten worden afgesloten met opdrachtgevers.'

Bart Overweel lachte, ja, dat begreep hij wel.

Pas in de avond kwam Menno Bouwsma er toe over het gesprek met Liz na te denken. Met zijn verstand wist hij dat wat ze gezegd had waar was, er was geen weg in de toekomst weer bij elkaar te komen. Rob Bijhuis had in zo'n geval eens de uitdrukking gebruikt: 'Er is onderweg te veel bagage bij gekomen.' Hij vond het een goede uitdrukking. En nu kwamen die woorden zeker van pas. Er was te veel voor beiden om los te kunnen laten. Dat wist hij, maar hij wilde haar zo graag weer in zijn leven hebben, en het liefst dicht naast hem. Het was ook, wist hij, haar weer willen veroveren, voelen dat ze nog om hem gaf, weten dat ook in haar hart de liefde niet was verdwenen. Maar ze zou Frits en haar gezin niet willen loslaten, het meisje Ineke en de jongen Thomas. En hij wilde diep in zijn hart Suzanne niet loslaten, maar daarnaast kon er misschien ruimte zijn hun liefde te blijven voelen. De warmte tussen hen vasthouden. Niet bij elkaar wonen, geen seksueel contact hebben, maar elkaar zien, met elkaar praten. Hij glimlachte om zijn gedachten. Een verhouding in hun huwelijken, nee, dat ging te ver...

Hij moest nadenken hoe het dinsdagmiddag aan te pakken. De

vriendschap moest blijven. Zo kon hij het noemen, ja, de vriendschap. Want hij dacht en droomde nu over Liz, maar na de confrontatie op die dinsdagmiddag was het toch vooral Marieke die hij beter wilde leren kennen, die hij naar zich toe wilde halen, die een plaats in het leven van Suzanne en hem moest krijgen...
Suzanne had op een avond, samen pratend, gezegd dat ze Marieke graag wilde ontmoeten. Tegenover een kind staan waarvan hij de vader was. En dat op hem leek. De eerste ontmoeting zou moeilijk voor haar zijn, had ze erbij gevoegd. Ze had hem graag zelf een dochter willen schenken, een kind dat vanaf de geboorte dag en nacht in hun huis zou zijn en waarmee ze vreugde en narigheid beleefden. Zo was het leven, maar het was hen niet gegeven. Marieke was wel de dochter van Menno, maar ze hoorde in een ander gezin. Zo lagen de feiten. En met die feiten moesten ze een weg zoeken het meisje zoveel mogelijk bij zich te krijgen. In hun huis praten over haar leventje als studente, straks, na het eindexamen. Misschien wilde ze af en toe een weekendje bij hen logeren...

Op het ogenblik waarop Menno Bouwsma in het bouwkantoortje de telefoon op het toestel drukte, legde Liz de Winter in het huis aan de Buitenkade haar hoorn terug op zijn plekje. Ze leunde terug in de stoel en ze realiseerde zich dat ze een afspraak had gemaakt met Menno Bouwsma. Ze wist nu zeker dat het weekend in zijn kamer een ander slot had gehad dan zij tot nu toe dacht. De dagen daarna was ze achtervolgd door angst en onzekerheid en denken aan haar vader. Was haar nu overkomen wat haar moeder had meegemaakt? Ze dacht nu anders over Menno. En na zijn telefoontje om haar te zeggen dat hij haar geheim zou bewaren, waren de gevoelens voor hem anders geworden. Het was toch echte liefde tussen hen geweest. Hij verlangde die avond naar haar. Het was niet goed, het had niet mogen gebeuren, hij beloofde ook dat het niet zou gebeuren, maar het was wel het weekend van hun liefde. Ze glimlachte. Hoe zou het tussen hen gegaan zijn als zij de afspraak op de woensdagavond was nagekomen? Ze zou het nooit weten. Er was nu geen leven voor hen samen, ondanks Marieke, meer mogelijk. Ze zou de fijne en warme herinnering aan de dagen met Menno bewaren en koesteren. Het waren dagen uit haar verleden, ze deed er niemand kwaad mee daar af en toe aan te denken. Ze waren zo verliefd en zo blij met elkaar. Menno was terug in haar denken als haar eerste liefde. Verder ging het niet. Maar de Menno van nu was een man om verliefd op te worden. Een zelfbewuste man. Menno was een man die wat bereikt had in zijn leven. Hij had een goede functie in de top van het bouwbedrijf Wildervanck en Groenewegen. Hij had ook in één van de kantoren achter machines kunnen zitten of achter een tekentafel kunnen staan. Ook dat werk was belangrijk en interessant, maar hij prefereerde het echte bouwwerk, dat trok hem aan. Frits werkte nog bij Hooyman en Frederikson op kantoor. Elke dag deed hij ongeveer hetzelfde werk, elke maand zorgde hij voor rapporten, in het begin van een nieuw jaar voor de eindcijfers van het afgelopen jaar, een drukke tijd, spannend ook, welke cijfers kwamen eruit. Het was werk waarmee Frits vertrouwd was en hij deed het goed. Maar hij was, Lizzy glimlachte erom, een wat saaie man. Maar wel een lieve man en een goede man. Anders dan Menno, maar ze hield van Frits.

6

'MARIEKE,' EDWIN GING DICHTER NAAST HAAR LOPEN ZODAT HIJ EEN arm om haar schouders kon leggen, hij trok haar naar zich toe 'ik heb het gevoel dat er iets is wat jou heel erg dwars zit. Ik wil graag weten in welke richting dat gaat. Heeft het met mij te maken, vind je me niet meer zo leuk als in het begin van onze, hoe zeg ik dat, van onze verhouding?'

Ze bleef stilstaan op het brede trottoir. Edwin, zijn arm nog om haar heen, struikelde bijna, maar hij bleef staan.

'Nee, Edwin, nee, dat is er volstrekt niet aan de hand. Ik vind je juist elke dag een beetje leuker! Ik kende je jarenlang als een aardige jongen in de groep. Edwin Winkelaar, leuke knul, maar ik leer je nu steeds beter kennen en ik vind je steeds aardiger en liever. Je wordt meer en meer een bekende voor me, een jongen die bij me past en bij me hoort,' ze lachte, 'het is raar uitgedrukt, zo moet ik het niet omschrijven, maar je begrijpt wat ik bedoel. Je bent niet langer één van de jongens die ik ken, waarmee ik kan lachen en praten, die naar me luisteren en me willen helpen als ik een probleem heb met wiskunde want het zijn in onze groep allemaal redelijk leuke jongens, maar jij bent bijzonder leuk! We weten nu meer van elkaars leven, ik ken wat achtergronden. Ik weet wie jouw ouders zijn, je broer en je zus en door het feest van opa en oma ken ik ook een paar ooms en tantes. Maar het gaat natuurlijk om jou. Je wordt me, ik zeg het met ouderwetse woorden, Van Dijk van Nederlands zal het een mooie uitdrukking van me vinden, je wordt me zo eigen, Edwin. Je hoort bij me en ik wil graag bij jou horen. Of en hoe het in de toekomst verder gaat ligt in volkomen onduidelijkheid verborgen, maar nu ben ik blij met jouw vriendschap voor mij en je verliefdheid. Ik weet veel van je en jij weet veel van mij, dat geeft een warme band. Het is het gevoel van bij elkaar

horen, hoewel ik niet wil dat het je het gevoel geeft aan mij verbonden te zijn. We zijn nog jong, het is allemaal nog heel pril, maar
zo voel ik het op dit moment toch.'

'Ik ben blij dat je dit zegt, Marieke. Ik maakte me echt ongerust.'

Ze legde haar hand op zijn mond. Ze wilde nu direct verder praten,
hem vertellen waarom ze het de laatste weken moeilijk had. Ze niet
wist wat ze moest doen. Normaal kon ze met elk probleem of elke
teleurstelling bij één van haar ouders terecht, maar dat was in dit
geval niet zo. Ze wist hoe papa en mama erover dachten.
Waarschijnlijk hadden ze gelijk, maar zij voelde het anders. Edwin
was haar vriend, Edwin moest het weten. Haar vader had gezegd dat
het gebeuren binnenskamers gehouden moest worden, de buiten-
wereld had snel een mening klaar en zij, het gezin De Winter, werd
niets wijzer van die belangstelling. Mensen, buiten hun familie,
hadden er ook niets mee nodig. Met al die woorden wilde papa haar
het zwijgen opleggen, maar op dit moment wist ze dat het voor haar
niet de goede weg was. Edwin mocht en moest weten wat er in haar
leven gebeurd was.

'Er is iets gebeurd, Edwin, en ik wil het je vertellen, maar niet nu,
niet wandelend langs de Prinsengracht op weg naar een druk café-
tje.'

'Het is dus een ernstige zaak.'

'Ja, het was een ernstige geschiedenis voor de mensen die erbij
betrokken waren, maar het is lang geleden gebeurd. Er werd eigenlijk niet meer aan gedacht en over gesproken. Het was voorbij en het
werd op een goede manier afgesloten. Maar sinds een week of vijf,
zes, ik weet niet precies hoe lang geleden er verandering is gekomen,
speelt het opeens een belangrijke rol in mijn leven. Mijn ouders zijn
er ook bij betrokken, maar ik weet bijna zeker dat het mij het
meeste raakt. Dat ik eigenlijk de hoofdpersoon in het drama ben.
Dat klinkt een beetje gezwollen en dat is het ook, maar ik voel het

wel zo. Ik wil het jou vertellen en er met je over praten, maar dat moet ergens gebeuren waar het rustig is en waar wij met z'n tweetjes zijn.'

'Vanavond in mijn kamer?'

'Dat is een goed idee.'

'Zal ik mijn moeder zeggen dat je me iets belangrijks wilt vertellen? Je weet dat ze snel een beetje bang wordt als het in mijn kamer stil is wanneer wij tweetjes, jong en verliefd, daarbinnen zijn. Mogelijk denkt ze dan heel even aan wat zich heeft afgespeeld toen Frank Winkelaar en zij verliefd waren en samen naar zijn of haar kamer gingen. De vraag was toen en nu hetzelfde: wat doen ze, wat gebeurt er... Mijn moeder weet wat er toen gebeurde. Nu, tussen ons, kan ze er alleen naar raden. Maar vertellen over een ernstig onderwerp is in haar ogen niet gevaarlijk.'

Marieke knikte instemmend.

Dezelfde avond was ze bij Edwin. In zijn kamer stond gewoonlijk één stoel, maar nu had hij er een stoel bijgeschoven. Ze zaten tegenover elkaar.

'Ik wil je gezicht zien als je vertelt,' had Edwin gezegd, 'je ogen en je mond.'

'Goed. Je moet eerst alleen naar mijn verhaal luisteren. Niet ertussendoor een opmerking maken. Ik heb de hele geschiedenis in mijn hoofd en ik wil je alles vertellen. Als ik ermee klaar ben praten we erover.'

Edwin knikte. 'Ik luister.'

'Je herinnert je nog dat Jan Hemkes ons vorig jaar vertelde dat hij op zoek wilde gaan naar zijn biologische vader. Over die geschiedenis werd destijds behoorlijk in de groep gediscussieerd. De moeder van Jan had een korte verhouding met een zekere Pieter, na een heftige ruzie raakte het uit. Zij ontdekte dat ze zwanger was, volop ellende voor haar en haar familie, maar ruim een jaar later trouwde de moeder van Jan met Joost Hemkes, een aardige man. Jan kreeg de achternaam van die man, een keurig jongetje dus weer en het ging en gaat nog steeds goed met het drietal. Toen Jan hoorde, kortgeleden, dat hij niet de echte zoon is van deze Joost Hemkes, wilde hij op zoek gaan naar zijn biologische vader. Hij vertelde ons erover. Als goede studenten hadden we er meteen een eigen mening over. Er werd uitgebreid over gesproken en iedereen legde op tafel wat hij of zij ervan vond. Karel Stapel meende dat Jan goed moest nadenken of hij wel of niet iets met de gegevens wilde doen. Karel was van mening dat het beter was het te laten rusten. Die biologische vader had wel een belangrijk rolletje in het leven van Jans moeder gespeeld,' Marieke glimlachte even, 'maar na de dag waarop hij woedend was weggegaan had ze niets meer van hem gehoord. Meer dan een korte vriendschap was het niet geweest. Ze was haar eigen weg gegaan met het handje van kleine Jantje in haar hand en het is goed afgelopen, want het leven is prima voor Jan. Maar er waren rond de tafel ook andere meningen.'

Marieke keek Edwin recht aan. 'Ik luisterde naar alle opmerkingen, maar ik zat er niet alleen als een toeschouwster, want, Edwin, dat wil ik je vanavond vertellen, mijn vader is mijn echte vader niet. Ik heb ook een biologische vader. Ik weet het vanaf mijn tiende jaar. Mijn moeder wilde het me vertellen. Ze was bang dat er mogelijk iemand van de familie zou denken dat ik ervan op de hoogte was en een opmerking zou maken. Dan zou het een moeilijke ervaring voor mij zijn. Mijn papa is niet mijn eigen papa... Maar ik was nog te jong en te speels om het hele verhaal op de juiste manier te begrijpen. Volgens mijn moeder knikte ik heftig 'ja', als teken dat alles me duidelijk was, maar nadat mama was uitverteld dacht ik er niet meer over. Maar in de jaren daarna wist ik dus wat er aan de hand was. Ik vertel je de hele geschiedenis...'

En Marieke praatte met een rustige stem over de kennismaking tussen Menno Bouwsma en haar moeder tot aan de dinsdagmiddag waarop zij die man had gezien.

'Marieke, meisje van me, wat een vreemde, maar voor jou ware geschiedenis... Ik keer even terug naar Jan Hemkes voor we met deze geschiedenis verder gaan. Jan heeft zijn vader gevonden. Hij had zich er veel van voorgesteld die man te ontmoeten en te leren kennen. Hij verwachtte dat er een geweldige vriendschap zou ontstaan tussen zijn vader en hem, gelijke naturen nietwaar, het kon niet missen, het moest goed gaan. Maar het is op een diepe teleurstelling voor hem uitgelopen. Je kent de geschiedenis. Jan heeft ons erover verteld. Hij met bleke wangen en Betty en Carla in tranen. Vol medelijden met die arme jongen. Karel riep toen: "Waarom haalde je dit ook allemaal aan de hand, malle kerel! Je had een fijn leventje, alles is goed tussen jou en je ouders, nu bezorg je veel mensen narigheid. De vrouw van die minnaar van toen is woedend om wat hij destijds heeft uitgehaald; als jij er niet over was begonnen leefde het stel nog gelukkig! Nu zit je biologische vader met de narigheid. En vragen om een uitgestoken hand van zijn vroegere geliefde, jouw moeder, kan hij wel vergeten, die bemoeit zich er niet mee! Zij is ook boos op jou. Waarom moest jij die drukte aanhalen." Je hoort,' Edwin boog zich naar Marieke toe, 'dat ik me die geschiedenis nog heel goed herinner. Het maakte indruk op me. En nu vertel jij dat ook jij een biologische vader hebt. Je hebt die man kortgeleden ontmoet...'

'Ja. Ik ben niet naar hem op zoek gegaan, hij kwam op ons pad. Ik dacht er al wel een poosje over, na het verhaal van Jan, dat ik die echte vader wel eens wilde zien. Om dat verlangen wat aan te dikken vertelde ik mijn moeder dat ik op straat en in winkels en waar dan ook dikwijls naar mannen van ongeveer haar leeftijd keek en dat ik me dan afvroeg of hij misschien mijn echte vader zou zijn... Mama vond dat kijken naar mannen niet zo prettig en ze begreep dat het een vermoeiende bezigheid voor mij was.'

Marieke vertelde over de afspraak, die de vrouw van Menno Bouwsma voor haar man wilde maken. Hij wilde zijn Lizzy van vroeger graag nog één keer zien, dat zou voor hem voldoende zijn, weten hoe het met haar ging en als alles goed was gingen ze weer uit elkaar. Terug naar hun eigen gezinnen. 'Mijn moeder schoof zijn wens en mijn wens aan elkaar en,' ze keek Edwin even met een lachje aan, 'ik vermoed dat er bij het terughalen van zijn naam in mijn moeder een stukje boosheid en woede bovenkwam over wat hij haar had aangedaan; in elk geval moest ze hem op de middag van de afspraak laten weten dat zij na die nacht met hem zwanger was geworden en dat er een kind van hen samen was. Als hij mij die middag niet zou zien kon ik hem niet zien. En dat was, voor mijn moeder en mij, juist de bedoeling van de afspraak. Maar het werd een heel heftig gebeuren.'

'Marieke, ik weet op dit moment niet wat ik hierop moet zeggen.'

'Dat begrijp ik en je hoeft over het verhaal ook niets te zeggen. Ik verwacht dat we er nu en dan over zullen praten. Maar ik wilde het jou vertellen omdat er achter deze gebeurtenis voor mij een probleem verscholen zit. Mijn ouders vinden, en ik weet bijna zeker dat vader het besluit heeft genomen en mijn moeder stemde erin mee, dat het voor allen en iedereen, dus ook voor mij, het beste is elk contact met Menno Bouwsma af te wijzen. Het kan mijn ouders niet schelen hoe Menno Bouwsma deze kwestie thuis oplost... Had hij maar niet tegen haar moeten zeggen dat hij zijn liefje van toen wilde zien en zij had zich niet moeten inspannen dat meisje te zoeken, eigen schuld dikke bult... Als we de werkwijze van mijn vader volgen loopt alles met een sisser af. Menno Bouwsma blijft tevreden bij zijn vrouw, ze heet Suzanne. Mijn ouders zijn gelukkig met hun gezin, ik heb een fijne vader en één vader is genoeg.

Maar de hele vertoning overviel Menno Bouwsma natuurlijk, daar-

van kun jij je wel een voorstelling maken. Hij was die middag onthutst en overdonderd door wat er gebeurde, dat begrijpen jij en ik
van hem. Hij riep dat hij mij niet zal loslaten, hij wil contact met me
houden. En eigenlijk, Edwin, wil ik dat ook wel...'
Edwin knikte instemmend. Ja, dat begreep hij heel goed van haar. Je
eigen vader, je echte vader...
'Nu komt wat we op het Erasmus met een groot woord de eindconclusie noemen, en de vraag erbij is: wat moet ik doen... Ik voel
me aangetrokken tot die man, ik lijk op hem, ik heb een gevoel bij
hem te horen. Ik weet vrijwel zeker dat het een sympathieke man is,
ik wil meer van hem weten, maar mijn moeder heeft hem laten
beloven dat hij mij in elk geval tot na het eindexamen niet zal bellen of opzoeken. Mijn vader is het daar roerend mee eens. Hij hoopt
dat door die wachtperiode de eerste opwinding over onze ontmoeting van twee kanten zal afzwakken en dat verdere interesses uit-
blijven, maar zo simpel ligt het natuurlijk niet. Mijn vader kan soms,
als hij dat wil, als het in zijn straatje past, een heel simpel denken
naar voren brengen en dat als een wezenlijke mogelijkheid zien. Ik
geloof er in elk geval niet in. En van de kant van mijn biologische
vader zal het beslist niet zo gaan. Ik weet hoe hij naar me keek. Ik
heb gehoord wat hij riep. Nee, dat gaat niet gebeuren en van mijn
kant, Edwin, wil ik het ook niet. Ik heb die man gezien en ik voel
dat er iets is tussen hem en mij.
Op zich is de vraag van mijn moeder aan hem, rust in de geschiedenis in te lassen, een goed voorstel. Mama noemde natuurlijk het
eindexamen, dat is belangrijk, maar ook daarbuiten ben ik blij even
geen berichten te horen. Het gebeuren houdt me nog erg bezig, er
is zoveel om over te denken en er zijn zoveel vragen. Ik wil met hem
praten, maar als ik daar nu de kans voor zou krijgen hield het me
waarschijnlijk te veel van mijn studie af. En ik wil dolgraag de eindstreep halen en met jou en de anderen naar de universiteit gaan.

Maar als dat achter de rug is en ik zwaaiend en dansend door de kamer ga met het diploma boven mijn hoofd, kan ik dan mijn ouders beloven dat ik zal doen wat zij willen? Menno Bouwsma uit mijn leven bannen nog voor hij erin binnen is gestapt? Als ik hem goed heb ingeschat zal hij daarin niet snel berusten, maar als ik "nee, nee, nee" volhoud, delft hij uiteindelijk toch het onderspit.'

'Ik wil er niet direct een beslissende mening over geven, Marieke, daarvoor overvalt de hele geschiedenis me te heftig, maar wat als eerste in me opkomt is toch dat jij het recht hebt je biologische vader te ontmoeten nu hij met medeweten van je ouders op je weg is gezet. Want zo is het toch? En ik vind dat hij, nu hij eindelijk weet van zijn kind, de kans moet krijgen haar te leren kennen. Je ouders zijn, begrijpelijk, bang voor inmenging van hem in jouw leven en dat is geen gekke angst, ze zien problemen en die zitten er vast en zeker ook dubbeldik in. Vader Menno zal alles voor jou willen doen, je wellicht ook geld willen toestoppen als hij dat heeft, en geld schenken is een uitstekend middel mensen aan je te binden, dat weet jij ook. En er kan narigheid uitbreken in het gezin Bouwsma; daar heeft jouw vader niets mee nodig, tot die vrouw huilend en snikkend op jullie stoep staat... Ik draaf een beetje door, ik zeg dit alles te vlot, ik wil het drama niet moeilijker maken dan het al is, maar voorvallen in deze richting kunnen plaatsvinden. Er kunnen ook in jullie gezin wrijvingen ontstaan. Je vader weet oppervlakkig van de relatie tussen Menno en je moeder van vroeger, maar hoe diep is die liefde in werkelijkheid geweest... Toch zover dat ze in bed belandden... En dan nog de mogelijkheid dat jij Menno Bouwsma een bovenste beste papa gaat vinden en dat zou voor Frits de Winter – wat heeft hij niet allemaal voor jou gedaan – een zure appel zijn om doorheen te bijten.' Edwin lachte ondanks de ernst van het gesprek. 'Heus, Marieke, ik zie voor je ouders veel problemen als jij verder contact onderhoudt met Menno Bouwsma, maar ik vind toch dat jij het recht hebt je biologische vader te leren kennen. Deze man is jouw echte vader en je hebt waarschijnlijk karaktertrekken van hem meegekregen en andere eigenschappen. Ik hoop dat je vanavond, zo kort na deze openbaring aan mij, geen waarheden verbindt aan wat ik zeg. Over deze uitspraken moet goed nagedacht worden. Dat ben jij beslist met me eens. Nuchter gesproken zou het mogelijk moeten zijn dat, als alle betrokkenen hun verstand erbij houden en het op de goed wijze willen aanpakken, er in zijn gezin en ook in jullie gezin geen narigheden ontstaan. Maar wie kan in een situatie zoals jij hebt verteld daaraan meewerken? Alleen superbegrijpende mensen misschien. En het staat vast dat jouw ouders er geen enkel belang bij hebben Menno Bouwsma hun leven binnen te halen. Ze kunnen er jou door verliezen. Dus willen zij het liefst kappen met die vent! Maar voor jou ligt het anders.'

Edwin stond op. 'Marieke, dit is verschrikkelijk moeilijk. Er buitelen veel te veel gedachten en mogelijkheden door mijn hoofd. En op de achtergrond jengelt de vraag wat ik zou doen als ik hoorde dat mijn vader niet mijn biologische vader was en dat mijn echte vader op een middag langskwam om me de hand te schudden. Mijn eerste antwoord op dat gejengel is: ik laat hem niet meer los! Maar ik wil jouw denken deze avond nog niet beïnvloeden. Dat is toch ook niet jouw bedoeling?'

'Natuurlijk niet. Het is logisch dat het verhaal je overvalt. Je moet erover denken. Er hoeft ook op korte termijn geen beslissing genomen te worden, want de eerste weken zal Menno Bouwsma niet aan de telefoon hangen. Er komen genoeg dagen en nachten om erover te denken.'

Marieke was blij het Edwin verteld te hebben. Hij was haar vriend. Ze kon haar gevoelens en gedachten in de komende tijd aan hem kwijt en dat was waardevol.

'Ik ga naar de keuken, ik haal wat drinken voor ons en iets te eten.'

Edwin kwam terug met een blad waarop twee kopjes koffie stonden en twee grote glazen frisdrank. Koekjes op een schoteltje.

'We nemen er lekker even de tijd voor.' Edwin legde zijn twee handen om de koffiekom en dronk met kleine slokjes. 'Maar je hebt wel wat op mijn pad gebracht, lieveling! En ik wil je een eerlijk advies geven. Ik wil ook rekening houden met de omstandigheden. Je moet ook niet in een impulsief gebaar smachtend handelen: O, mijn echte vader!'

Ze praatten er nog lang over na.

Toen ze voor de woning van de familie Winkelaar bij hun fietsen stonden, klaar om naar het huis van Marieke te rijden, vroeg Edwin: 'Vind je het goed dat ik dit aan mijn ouders vertel?'

'Ja, dat mag je wel doen. De geschiedenis is niet geheim en ook niet heel uitzonderlijk, gevallen als dit komen vele malen in het leven voor, maar als het jou treft is het wel iets wat je intens bezighoudt. Als wij bij elkaar blijven is het goed dat je familie ervan weet, als wij uit elkaar gaan is het iets waarvoor ze geen interesse meer zullen tonen.'

Die donderdagmorgen zat Edwin nog aan de ontbijttafel, zijn moeder tegenover hem, zijn vader trok zijn overjas aan om naar kantoor te gaan.

'Zijn jullie vanavond allebei thuis?' vroeg Edwin, 'ik wil jullie iets vertellen.'

'Als je gaat vertellen dat je ons wilt zeggen dat Marieke het allerliefste...'

'Houd toch op, Frank,' viel Marije Winkelaar haar man een beetje bruut in de reden, 'maak toch niet overal een geintje van. En helemaal niet zo vroeg in de morgen. En als je even goed had geluisterd weet je aan de wijze waarop Ed de woorden heeft uitgesproken, dat het om een serieuze zaak gaat. En ook nog, Ed is over het algemeen niet zo spraakzaam op dit uur van de dag, maar dat is jou waarschijnlijk nog nooit opgevallen. De jongen is intussen achttien... Hij wil alleen weten of wij vanavond allebei thuis zijn.'

'Om in de loop van de dag, onder de lessen, een voorbereiding op het onderwerp in elkaar te draaien. Het meisje Marieke...' Frank Winkelaar kon het niet laten.

'Ja, pap, dat heb je goed opgepikt. Ik moet het voorbereiden. Onder de Franse les maar.' Hij keek naar zijn vader en lachte naar hem, 'maar het is echt een serieus onderwerp.'

In de avond begon hij: 'Ik vertel jullie het verhaal van Marieke.' Hij nam als beginpunt de liefde tussen de student Menno Bouwsma en de moeder van Marieke, Lizzy van Heemskerk...

Naarmate hij verder praatte kwam er steeds meer belangstelling van de kant van zijn ouders. Ze luisterden met aandacht naar zijn jonge stem. Edwin was gekomen bij een belangrijk punt in dit verhaal, het verlangen van Menno één keer zijn vriendinnetje van vroeger weer te zien en de wens van Marieke één keer haar vader te ontmoeten... Na deze woorden zweeg Edwin even, hij reikte naar het bierglas dat voor hem op het tafelblad stond en nam een flinke slok. Daarna vertelde hij heel kort over de binnenkomst van Menno Bouwsma, de begroeting tussen die twee en de woorden die waarschijnlijk, hij was daar niet bij geweest en Marieke ook niet, maar haar moeder had erover verteld, gewisseld waren. Knikkende hoofden van zijn ouders. Ja, zo zou het gegaan zijn. Toen vertelde de moeder van Marieke over haar zwangerschap en over het kind dat negen maanden later werd geboren, een meisje, haar naam is Marieke...

'Mijn hemel, mijn jongen,' riep Marije Winkelaar uit, 'wat zal dat een heftig moment voor die man zijn geweest! Hij wist niet van een zwangerschap en dus ook niet van een kind en opeens stond ze voor hem. Nou, nou... En je vertelt dat ze op haar biologische vader lijkt, ze hebben beiden die mooie blauwe ogen en het krullende haar.' Marije schudde vol ongeloof haar hoofd. 'En ik probeer snel voor mezelf een beeld te schetsen van dat jonge kind dat de woonkamer binnenstapt en een volkomen onbekende man ziet, maar onmiddellijk wist dat die man haar echte vader was. Ze zag de gelijkenis. Welke gedachten had ze toen en wat voelde ze...'

'Nou,' merkte Edwin ondanks de ernst van het gesprek lachend op, 'zo diep zijn Marieke en ik niet op de details ingegaan, wat ze op dat moment wist en wat ze op dat moment dacht.' Weer ernstig voegde hij eraan toe: 'Maar we kunnen aannemen dat het voor haar ook een vreselijk en wonderlijk moment is geweest. Ze vertelde me dinsdagavond het hele verhaal. In de eerste plaats omdat ik haar vriend ben, dit moet ik toch weten, maar toen ze was uitverteld,' Edwin keek van zijn vader naar zijn moeder, 'zei ze me dat ze graag, en dat hoefde niet diezelfde dinsdagavond te zijn natuurlijk, maar graag wilde praten over hoe het nu verder moet... In een dergelijke geschiedenis is er toch altijd een verder? Het kan toch niet stoppen bij deze ontmoeting? Menno Bouwsma heeft ook, toen hij Marieke had gezien, geroepen, echt geroepen, volgens Marieke was het nog eerder geschreeuwd, maar goed, dat maakt niet uit, Menno Bouwsma heeft gezegd dat hij haar niet zal loslaten.'

'Dat begrijp ik heel goed,' kwam Frank Winkelaar nu voor het eerst met een reactie, 'mama wilde zich verplaatsen in het denken van Marieke van dat moment, ik probeerde me snel te verplaatsen in het denken van die man, die Menno Bouwsma. Het zal je toch gebeuren dat je zo opeens geconfronteerd wordt met je eigen kind, met je eigen dochter! Volgens mij is het meer een confrontatie geweest dan een ontmoeting.'

'Er was dinsdagavond niet veel tijd meer om hierover te praten,' ging Edwin verder, 'er waren veel te veel andere dingen in de geschiedenis die ons bezighielden, maar Marieke zei me wel dat haar ouders, en vooral haar vader, vader Frits dus, heeft gezegd dat het het beste is dat er geen verder contact wordt onderhouden tussen haar en haar biologische vader. Eigenlijk, zei Marieke, kwam het er op neer dat hij haar verbood zelf contact te zoeken met die man. En, als hij zou bellen of haar ergens zou opwachten, bij het Erasmus bijvoorbeeld, dan moet ze hem negeren. Volgens de lezing van vader Frits is het een geschiedenis uit het verleden en het is gegaan zoals toen de beslissingen werden genomen. De moeder van Marieke maakte de keus Menno Bouwsma los te laten en hij, vader Frits, wilde met Lizzy van Heemskerk trouwen en haar kind, als het geboren werd, als zijn kind aannemen. De ware vader van Marieke is opeens opgedoken en als hij besluit zijn dochter, en misschien ook haar moeder, wie zal het zeggen wat er in het hoofd van die man gaande is, als hij zich blijft opdringen aan het gezin De Winter, verwacht Frits de Winter dat daar grote moeilijkheden uit voort kunnen vloeien. En nu zit Marieke met de vraag of ze moet gehoorzamen als haar ouders haar echt gaan verbieden contact te houden met Menno Bouwsma.'

'Als eerste reactie wil ik uitroepen,' gaf Frank Winkelaar direct antwoord op die vraag: 'Natuurlijk mag dat kind contact houden met die man! Hij is toch haar echte vader! Als luisteraar van het eerste moment ben je daarvan overtuigd. Het kind en die vader willen elkaar zien, maar ik heb ook begrip voor het denken van de wettige vader van Marieke. Hij kijkt anders naar het gebeurde. Hij trouwde destijds een ongehuwde moeder. Ja, Marije, ik weet wat je wilt zeggen, hij hield van dat ongehuwde moedertje en het zal een lieve meid zijn geweest, maar het was toch een ingrijpend besluit wat hij heeft genomen en hij nam dat besluit niet alleen voor dat moment en voor de eerste jaren, dat zou wel goed gaan, kindje in de wieg, kindje in de wandelwagen, maar het telde ook voor later, als het kind groot zal zijn... Je ziet nu wat er over die wettige vader heen kan rollen!

Wat kan hier uit voortkomen... Hij nam de baby liefdevol in zijn armen, noem mij maar papa, kleintje... Er zijn nog twee kinderen in het huwelijk geboren en tot, voor een aanvang werd gemaakt met deze geschiedenis, misschien noemen we het achteraf een tragedie, was het leven van Frits de Winter prettig en zijn huwelijk was goed. Die man is in de voorbije jaren trots geweest op zijn gezin. Hij heeft steeds het gevoel gehad dat het hem blijdschap en geluk heeft gebracht verliefd te zijn op dat jonge moedertje, ik breng het misschien op een wat irritant toontje, maar ik wil de sfeer, die nu rond die man hangt, naar voren brengen. Ik verplaats me in hem, het klinkt overdreven, maar toch is het zo. Ik ken Frits de Winter niet, maar ik weet bijna zeker wat hij voelde en dacht op het moment waarop zijn vrouw hem vertelde dat ze een afspraakje had gemaakt met haar vroegere vriendje, de vader van Marieke. Maar dat ze het vooral had gedaan omdat het kind haar biologische vader wilde zien. Ik wil er niet te veel op ingaan maar ik kan me voorstellen dat Frits de Winter vanaf het horen van de ontmoeting minder prettige gedachten in zijn hoofd voelde opkomen. Ik kan er nog meer voor hem bij denken: Marieke gaat de nieuwe, echte vader verheerlijken, mogelijk komt in zijn vrouw toch weer iets boven van de verrukking van haar eerste liefde, die ze met Menno Bouwsma beleefde... Er is iets, nee, niet iets, er is veel tussen Menno en de moeder van Marieke geweest. Uit het vertellen van Edwin heb ik begrepen dat het niet lang heeft geduurd, maar het was wel heftig en innig. Want baby Marieke werd niet na een kusje geboren. Wat is na het wegebben van haar boosheid van het eerste uur in haar teruggekomen? Toch een beetje warmte voor hem en droeg ze dat haar verdere leven met zich mee? En hoe is het wat dit aangaat met Menno Bouwsma gegaan? De fijne uren koesteren, de herinneringen steeds mooier maken dan ze in werkelijkheid waren... Dat kan nu ze elkaar weer zien ontbranden.'

'Ik vind het bijzonder, pap, dat jij over de vader van Marieke begint!

Ik heb vanaf dinsdagavond ook nu en dan aan die man gedacht. Ik volg jouw denkpatroon. Het kan inderdaad een weg inslaan die hij beslist niet wil... Maar het is beter nu niet in die richting te fantaseren. Ik ken mevrouw De Winter al een poosje oppervlakkig. We kwamen er met de groep nu en dan in huis, de laatste tijd heb ik haar beter leren kennen en ik geloof niet dat zij een relatie met een vroegere vriend zal aangaan.'

'Edwin begon zijn vertellen met de omschrijving 'het verhaal van Marieke', nu zijn we toe aan 'het probleem van Marieke' en ik vind dat jullie het op een verkeerde manier benaderen. Je moet in je denken niet uitgaan van haar wettige vader, maar van haar. Zij heeft jou, mijn lieve jongen, gevraagd erover te denken en jij vroeg het ons. Ik neem aan, want dat begrijp ik uit alles wat je verteld hebt, dat Marieke contact met haar echte vader wil houden. Ze voelt binding met die man en hij voelt zich tot haar aangetrokken. Het zijn tenslotte een vader en zijn dochter. Als dat de waarheid is vind ik dat ze het recht heeft contact met hem te houden. Misschien kan ze nu en dan bij hem thuis komen. Het is de vraag hoe zijn vrouw hierover denkt. En als dat niet gaat kunnen ze een andere plek van samenkomst uitzoeken, die zijn er genoeg. Dit en dat van elkaar willen weten en in elk geval op de hoogte blijven van hoe het de ander gaat in het leven. Ik verwacht niet dat het snel een heel warm contact zal worden, daarvoor hebben ze te veel jaren van elkaar gemist en elk heeft zijn eigen leven. Als dit gebeurt is dat misschien niet goed in de ogen van Frits de Winter en het zal triest voor hem zijn het toch te zien gebeuren, maar toen hij trouwde met een jonge vrouw die een kindje verwachtte, kon hij eraan denken dat er in de toekomst iets ging gebeuren dat de ware vader en zijn dochter bij elkaar bracht. Het had ook zonder de afspraak die haar moeder maakte kunnen gebeuren. Ze wonen beiden in Amsterdam en het is wel een grote stad, maar er bestaat toch een kans elkaar in een warenhuis tegen te komen, bij theaterbezoek of in de tram of de bus. Als ze elkaar op die manier tegen het lijf waren gelopen had Menno Bouwsma onmiddellijk een familielid van hem herkend. Van zijn dochter wist hij het bestaan niet en Marieke had in hem haar vader herkend. De gelijkenis schijnt heel treffend te zijn, dat is toch een overtuigend bewijs? Als het op die manier gebeurd was zou het voor mevrouw De Winter eenvoudiger zijn geweest. Nu kan haar man haar verwijten ingestemd te hebben met de afspraak voor een ontmoeting. "Jij zwengelde het aan, dat had je nooit moeten doen." En als er problemen voor Frits de Winter uit voortkomen is dat sneu voor hem, maar als hij zijn verstand op de goede manier gebruikt, moet hij er begrip voor kunnen opbrengen dat Marieke haar natuurlijke vader wil ontmoeten. En als hij er op de juiste manier mee omgaat zal het hem niet zoveel kwaad doen.'

'Dus jij vindt, mam, kort gezegd, dat Marieke het recht heeft contact met haar vader te houden. Hem af en toe zien en met hem praten.'

'Ja, dat vind ik zeker.'

'En jij, pap, hoe denk jij erover?'

'Ik blijf erbij dat ik het sneu vind als er strubbelingen door ontstaan in zijn gezin, en die zitten er dubbeldik in, dat voel ik aankomen, maar los daarvan ben ik het met mama eens dat Marieke het recht heeft contact met haar vader te houden.'

De volgende ochtend voor het begin van het eerste lesuur spraken Edwin en Marieke elkaar in de grote hal van het schoolgebouw het Erasmuscollege.

'Ik heb jouw verhaal gisteravond aan mijn ouders verteld. Ik vroeg hen hoe zij erover denken als jij contact met je biologische vader wilt houden. Zij vinden allebei dat jij dat mag doen. Ze vinden dat jouw vader niet het recht heeft je dat te verbieden. Hij heeft je indertijd als zijn kind geëcht, maar met die daad heeft hij je echte vader niet uit je leven kunnen halen. Het risico dat jullie elkaar op een mooie dag zouden tegenkomen, waar en hoe dan ook, zat er toch in. Amsterdam is een grote stad, maar soms is het wereldje klein en over toevalligheden hebben we met de groep op een avond bij Peter thuis eens een stevige boom opgezet. De eindconclusie was dat toevalligheden niet bestaan. Het valt je toe. Dat had ook tussen jou en je vader kunnen gebeuren.'

'Ik ben blij dat je ouders er zo over denken. Aan de ene kant wil ik mijn echte vader graag leren kennen, aan de andere kant wil ik mijn wettige vader, ik zeg het zo om de mannen uit elkaar te houden,' ze lachte naar Edwin, hij knikte, 'geen verdriet doen, ik wil hem er geen pijn mee doen. En, dat komt er nog bij, het praten erover wordt voornamelijk door mijn vader gedaan en het gaat op een schreeuwerige, vervelende manier. Hij is niet gerust over de afloop, hij komt met motieven. Hij verwacht dat de inmenging van Menno Bouwsma ons hele gezin narigheid zal brengen. Mama krijgt ook het ene geestelijke duwtje na het andere, want zij heeft Menno Bouwsma in ons huis gehaald en waarom deed ze dat? Zit er meer achter? Vader Frits is een goede en een lieve man als alles om hem heen verloopt zoals hij het graag wil. Als het een beetje anders dan anders gaat, er gebeurt iets onregelmatigs in zijn leven, is hij snel in paniek en weet hij niet hoe ermee om te gaan. Maar dat mag voor mij niet de reden zijn om bij dit belangrijke gebeuren niet te doen wat ik graag wil. En ook, dan zou vader Frits zijn zin krijgen en dat is wat hij wil. Hij verwacht dat ik, als ik Menno Bouwsma nu en dan ontmoet, een leven opbouw naast mijn leven in ons gezin waarvan mijn moeder en hij niets weten en dat wil hij niet.'

7

DIE DINSDAGMIDDAG ZAT MENNO BOUWSMA OP TIJD AAN DE TAFEL IN
De Witte Lelie waaraan Lizzy en hij ook enige weken geleden hadden gezeten. Hij vond het een zotte gedachte, maar vrouwen zijn
anders dan mannen, misschien gaf het Liz een klein beetje een vertrouwd gevoel. Hij was ook op tijd omdat bij een belangrijke
afspraak als deze middag de man op de vrouw moest wachten.
Even na drie uur liep ze door de zaal naar hem toe. Het was een
prachtige lentedag in mei, heerlijk weer. Liz droeg een mooi man-
telpakje en daaronder een kleurige bloes. Ze glimlachte tijdens dat
lopen naar hem. Hij voelde dat ze minder gespannen was dan bij
hun vorige afspraak.
Hij vroeg hoe het met haar ging. Ze antwoordde: 'Goed, ja hoor,
alles in orde.' In het gezin De Winter verliep alles naar wens. Om er
toch iets bij te zeggen vulde ze het aan met de woorden: 'In een
gezin met een man en drie kinderen die alle vier hun mondjes goed
kunnen roeren heeft een vrouw werk genoeg en is het bijna nooit
stil in huis als het koppeltje aanwezig is. Ik geniet ervan ze om me
heen te hebben.'
'Hoe is het met ons kind?'
Ze keek hem bij die woorden even aan, 'ons kind', het was waar,
maar hij hoefde het niet zo duidelijk naar voren te brengen, maar ze
maakte er geen opmerking over.
'Marieke is hypernerveus. Over tien dagen beginnen de examens en
ze maakt zich toch een beetje zorgen over de afloop. Ik heb er meer
vertrouwen in. Haar cijfers waren alle jaren goed, waarom zou ze de
eindstreep niet halen? Ze duikt elke avond in de boeken. Ze zegt,'
Liz zei het lachend, 'dat ze in voorzienigheid gelooft en nu zal het
hopelijk zo zijn dat, wat ze in die laatste dagen voor het examen nog
oppikt uit de boeken, juist gevraagd wordt. Dan heeft ze de voor-

zienigheid gevleid. Ik kan niet zeggen dat het niet zal gebeuren, dus ik laat haar haar gangetje maar gaan.'

De ober had intussen koffie gebracht, een appelpunt erbij, want Frits verkondigde meer dan eens dat het goed is tijdens nervositeit te eten. En het was in elk geval zo dat het prikken met het vorkje iets te doen gaf. Ze keek naar die bezigheid, ze hoefde niet naar Menno te kijken.

Hij boog zich iets over de tafel naar haar toe, in zijn ogen kwam de warme, vriendelijke blik die ze zo goed kende, die ze niet vergeten was. Hij vroeg: 'Lizzy, komen in jou de laatste weken ook herinneringen boven aan de heerlijke dagen die wij samen hebben doorgebracht? Zwerven door de stad, hand in hand zoeken en kijken naar boeken en muziek in de Bijenkorf, samen ergens eten, in de avond naar een voorstelling of de bioscoop gaan, jij dicht tegen me aan als het heftig werd op het grote doek... Het zijn niet veel dagen geweest, maar ze waren goed en mooi, ze waren heerlijk om te beleven. Wij hoorden bij elkaar, er was vanaf het eerste moment waarop wij elkaar zagen de wetenschap dat dit anders was dan wat dagelijks gebeurd tussen jongens en meisjes, even contact uitlokken, dit was meer, dit was echte liefde...'

Pas op je woorden, Liz de Winter... Ze zei: 'Ik denk daar nooit meer aan, Menno. Dat is voorbij. En er zijn zoveel andere dingen voor in de plaats gekomen. Frits en de kinderen.'

'Ja, het is voorbij, maar ik heb ondervonden dat een mens een liefde verborgen in zijn hart met zich kan meedragen. Er strijken nieuwe gevoelens en ook nieuwe gevoelens van liefde overheen, maar het blijft bewaard. Ik heb dikwijls aan je gedacht en verlangd je weer te zien, vooral ook, dat begrijp je nu op de juiste manier, om te weten waarom je die woensdagavond niet gekomen bent. Het is jammer dat het zo is gelopen. Voel je niet dat wat toen tussen ons was nog een klein beetje tussen ons is?'

Hij zat tegenover haar, een flinke kerel met een mooi, vriendelijk gezicht, een zachte, warme stem. Ze was verliefd op hem geweest en hij had nog een plekje in haar hart, dat was zo, maar naar buiten toe moest het voorbij zijn, Menno en zij, zo was het niet meer en zo mocht het niet.

'Daarop wil ik niet ingaan, Menno. De dingen die gebeurd zijn hadden anders kunnen verlopen, ik heb bij het nadenken over die zaterdagavond verkeerde conclusies getrokken, denken aan mijn vader, denken aan jouw belofte dat er niets zou gebeuren, maar het heeft nu geen zin meer daarover te praten. Ik ben met Frits getrouwd en ik houd van Frits. We hebben drie kinderen, we hebben een blij gezin.'

'Je hebt een kind met mij en twee kinderen met Frits.'

'Zo is het niet. Marieke heeft de familienaam De Winter, Frits is haar wettige vader en vooral, Menno, Frits houdt van Marieke, hij is dol op zijn oudste dochter en Marieke houdt van Frits.'

Nu moest hij zijn voorstel op tafel leggen, dit was een geschikt moment.

'Dat begrijp ik, Liz. Nadat ik was afgestudeerd ontmoette ik Suzanne, we trouwden en we hebben het goed samen. Ik wil heel graag, door het hechte verbond dat de geboorte van Marieke tussen jou en mij heeft gelegd, contact met jou houden. We kunnen elkaar af en toe ontmoeten en praten over ons meisje. Er kan niet meer dan vriendschap tussen ons zijn. Zoals het nu is moet het blijven, er kan niets verder groeien.

Als jij denkt dat het beter is over onze afspraken te zwijgen tegen Frits, is dat in mijn ogen geen probleem. In hoeveel levens van mannen en vrouwen, die gelukkig met elkaar getrouwd zijn, is er een onderwerpje waarover ze niets vertellen? Ik ben de vader van Marieke, jij wilt me op de hoogte houden van wat er met en rond haar gebeurt. Ik zal Suzanne waarschijnlijk niets over onze gesprekken zeggen.' Hij had het woord 'afspraken' willen gebruiken, maar hij wisselde dat woord in voor 'gesprekken'. Hij praatte verder: 'Het maakt haar mogelijk jaloers, ofschoon Suzanne een verstandige vrouw is die een juiste kijk heeft op wat tussen ons is gebeurd. Maar het is niet nodig dat zij ervan weet en het kan moeilijkheden oproepen. Maar Frits en Suzanne begrijpen dat wij beiden betrokken zijn bij ons meisje, maar dat we daardoor nu en dan met elkaar over haar praten gaat voor beiden misschien net een stapje te ver. Ik durf het bijna niet te zeggen, maar je moet iets volwassens in je denken hebben om dit aan te kunnen. Wij hebben dat allebei. Je voelt mijn voorstel mogelijk als een geheim voor Frits en voor Suzanne, maar Lizzy, wij hebben allebei al een geheim in ons hart, het geheim over onze voorbije liefde. Je moet die afspraken zien in het belang van het kind. Want wat er ook gebeurt, ik zal haar altijd helpen en steunen zoveel ik kan. En ook, ik ga haar, of jullie daar blij mee zijn of niet, na het eindexamen benaderen. Ik laat dit kind niet meer los, dat begrijp je toch wel? Ik weet nu van haar bestaan. Het was een schok voor me het te horen, maar het was wel een blijde schok. Mijn hemel, ik ben vader, ik heb een kind, een dochter! Niemand kan en mag haar van mij afnemen. Jij begrijpt mijn gevoelens voor haar en Frits zal er, als hij er rustig over nagedacht heeft, ook begrip voor hebben.'

Het tweede kopje koffie was inmiddels leeggedronken, de ober bracht nu een glas rode wijn voor Menno en een glas frisdrank voor Liz. Ook een schaaltje met hartige hapjes en een houten kommetje vol nootjes. Liz probeerde haar gedachten en gevoelens die in ijltempo aan haar voorbij gleden te verwerken. De man tegenover haar was Menno, als meisje van achttien was ze dolverliefd op hem geweest. Ze zou nu, ze was zich ervan bewust, als vrouw van zesendertig, weer verliefd op hem kunnen worden. Zijn manier van kijken, zijn woordkeus en vooral de rust waarmee hij zijn voorstellen naar voren bracht. Hij wilde contact met haar houden, elkaar met zekere regelmaat ontmoeten, maar dat kon natuurlijk niet. Een getrouwde man en een getrouwde vrouw... Maar dat ontmoeten ging niet om in een roes van weemoed met elkaar te praten over de liefde van vroeger toen ze jonge mensen waren. Nee, het was voor hen omdat ze de vader en de moeder van Marieke waren. Dat was een heel ander uitgangspunt. Ze was ervan overtuigd dat Menno Marieke zou opzoeken en haar niet meer zou loslaten. Zoals hij zich destijds in zijn studie had vastgegrepen, later in zijn verdere opleiding en nu in zijn werk, zo zou hij, nog meer gemotiveerd door persoonlijke gevoelens, zijn aandacht rond Marieke blijven houden.

Misschien was het goed, haar denken ging snel terwijl ze schijnbaar gedachteloos een paar pindaatjes uit het schaaltje nam, op zijn voorstel in te gaan. Menno zocht Marieke na het eindexamen op en daar kwam nog bij, hoe snel kunnen gedachten door een menselijk brein flitsen, dat Marieke gecharmeerd zou zijn van haar natuurlijke vader. En, dat zat er ook dik in, hij was haar type, zij begreep hem. Als dat gebeurde konden Frits en zij Marieke kwijt raken. Maar misschien lag voor haar de kans open om, als ze hem af en toe ontmoette, met hem praatte en naar zijn verhalen luisterde, een oogje in het zeil te houden. En, Liz de Winter, geef het maar toe, je bent nog steeds een beetje verliefd op Menno Bouwsma. Er groeit niets uit, jij houdt dat in de gaten, jij houdt van Frits en je blijft bij Frits, Ineke en Thomas, natuurlijk, maar je vindt het diep in je hart niet onprettig naar hem te luisteren.

'Lizzy, waar zitten je gedachten...'

De middag van de uitslagen van de eindexamens.

Liz zat op de bank in de kamer. Ze kon ook in het stoeltje naast het telefoontafeltje gaan zitten, dan was ze nog dichter bij het toestel, maar dat was onzin. Als er gebeld werd pakte ze snel de hoorn op.

Na meer dan een halfuur klonk het belgeluid door de kamer. Liz nam op. In haar oor klonk de juichende, luide stem van Marieke: 'Mam, ik ben erdoor, ik ben geslaagd! En Edwin is ook geslaagd en het is nog mooier; we zijn alle zes geslaagd! Nog meer jongelui uit de klas natuurlijk, maar ik noem alleen dit stelletje! We zijn door het dolle heen. We bouwen nu eerst hier een klein feestje, de leraren erbij, maar ik kom gauw naar huis. Ik hang nu op, ik ga de anderen feliciteren. Mam, tot zo...' en de verbinding was verbroken.

Liz de Winter was blij, heerlijk dat Marieke geslaagd was... Ze liep naar de keuken. In de koelkast stond een grote doos met een prachtige taart. Marieke had gezegd: 'Mam, je moet geen gebakjes bestellen voor de goede uitslag bekend is, dat is tarten van het lot en je weet dat ik daar bang voor ben.'

'Ik zie het anders. Als jij er niet doorheen komt is dat niet de schuld van het lot,' ze had het lachend gezegd, 'nee, dan heb je hier en daar een verkeerd antwoord ingevuld. En dan wil het lot dat de hele familie als troost bij de koffie een punt slagroomtaart krijgt. Dat verzacht het verdriet.'

Nu eerst Frits bellen. En mama. Zij weet ook dat vandaag de uitslag komt, mama wacht in spanning.

Ze draaide het nummer van Hooyman en Frederikson, noemde haar naam en vroeg of ze Frits even aan de lijn kon krijgen.

Zijn stem in haar oor met alleen het woordje: 'En?' Ze antwoordde blij: 'Ze heeft het gehaald, Frits, ze is geslaagd!'

'We hadden het verwacht, maar niet eerder dan wanneer de naam genoemd wordt in het rijtje van de geslaagden, is er zekerheid,' echt Frits het zo te omschrijven, 'heerlijk, lieverd, jij bent beslist heel blij, maar ik ook! Ik heb vanmiddag steeds aan Marieke gedacht. Ik kom een uurtje eerder thuis, ik wil onze fantastische dochter snel feliciteren!'

Liz draaide het nummer van haar moeder. 'Met Nadine van Westen,' klonk de bekende stem.

'Mam...' en Liz vertelde hetzelfde verhaal.

'Kind, wat heerlijk! Ik bel Hans direct, dan trek ik mijn jas aan, stap in de auto en kom naar jullie toe! Ik heb al bloemen voor onze lieve schat gekocht. Tot zo.'

Liz legde de hoorn terug op het toestel. Zou ze Menno bellen? Nee, ze belde Menno niet. Zou hij weten dat deze middag de uitslagen bekend werden? En dacht hij dan aan Marieke? Als hij het wist zeker wel. Ze aarzelde, bellen of niet bellen... Maar ze belde niet. En niet, dat besefte ze heel goed, omdat zij het niet graag wilde, maar omdat Frits het niet zou goedkeuren. Maar Frits hoefde het toch niet te weten? Frits zou het nooit weten. Maar ze deed het niet.

Het werd een drukke, maar gezellige, feestelijke avond. Er kwamen jongelui binnenvallen, niet lang, gewoon even feliciteren en blij zijn. Iets drinken? Ja, mevrouw De Winter, vandaag smaakt een biertje ons heerlijk.

De volgende middag belde Menno Bouwsma. 'Liz, is er al nieuws over Marieke?'

'Ja, de uitslag werd gistermiddag bekendgemaakt, Marieke is geslaagd! En ook nog met mooie cijfers. We zijn heel trots op haar. Het was hier gisteravond een hectische bedoening. Haar vriendje, Edwin, is ook geslaagd, trouwens het hele groepje van zes gaat met elkaar naar de universiteit. Ze hebben natuurlijk niet alle zes voor dezelfde richting gekozen, maar ze zullen elkaar dikwijls zien. Ik ben zo blij, Menno, dat begrijp je wel. Het is toch een mijlpaal in het leven van het kind. Voor mijn gevoel staat ze op de drempel, achter haar het leven als jong meisje, voor haar de toekomst die op haar wacht.'

'Dat zeg je mooi, Lizzy.'

'Ik ben nog steeds in een opgewonden stemming en dan borrelt zoiets naar boven!' Ze zei het lachend.

Zijn stem weer: 'Marieke heeft nu vakantie. Ik bel haar morgenmiddag, als het kan rond drie uur. Ik kan het niet definitief afspreken, ik weet niet wat hier gebeurt, maar het lijkt me een geschikte tijd. Als jij haar van mijn voornemen op de hoogte wilt stellen, Lizzy, zodat ze zorgt om drie uur thuis te zijn, stel ik dat heel erg op prijs.'

'Menno, gezien de omstandigheden hier, je weet hoe Frits erover denkt, doe ik dat niet. Als ze morgenmiddag niet thuis is probeer je het overmorgen nog een keer.'

Ze legde de hoorn terug. Ze grijnsde. Echt Menno Bouwsma, regelen wat voor hem het beste zou uitkomen. Als Marieke om drie uur opnam wist hij dat zij, Liz, had ingestemd met het telefoongesprek en wist hij ook dat Marieke naar hem wilde luisteren. Dat maakte het praten voor hem gemakkelijk. Maar ook zonder die voorbereiding zou Menno Bouwsma zijn woorden kunnen brengen.

De volgende middag lag Marieke lekker lui en ontspannen languit op de bank. Kussen onder het hoofd op de ene armleuning, voeten op de andere armleuning, een lach op het gezicht. 'Het leven is heerlijk, mam, ik voel me zo lekker nu dit achter de rug is. Het is gisteravond vreselijk laat geworden, maar het was knotsgezellig en we hadden een feestje verdiend, ja toch? Edwin is ook zo blij, zijn vader en moeder zijn ook blij.' Ze babbelde door, Liz keek naar de klok, een paar minuten voor drie uur. Ze hoopte dat Menno nu tijd zou hebben om te bellen, hij mocht niet wachten tot later in de middag, dan stormde Ineke met een vriendinnetje binnen en Thomas nam mogelijk een vriendje mee. De kamer vol lawaai. Ze stond op en liep naar de keuken. Tijd om het water voor de thee op te zetten. Toen ze de ketel onder de kraan hield ging de telefoon. 'Marieke, neem jij hem even...' riep ze naar de kamer. Marieke zwaaide haar benen van de bank en liep naar het toestel. Ze verwachtte één van de medeleerlingen die nog een babbeltje wilde maken. Ze nam op, ze zei:

'Met Marieke.' Er klonk een lach in haar stem. Lekker even leuteren over gisteravond. Maar in haar oor klonk een donkere mannenstem: 'Marieke, met Menno Bouwsma. Ik wil je heel hartelijk feliciteren met het behalen van het einddiploma, geweldig meisje, dat heb je mooi gedaan.'

Verbaasd en verbouwereerd hield Marieke de hoorn vast. Toen zei ze hakkelend: 'Dank u wel, meneer Bouwsma', en ze voegde eraan toe, echt Marieke, dacht Liz, ze hoorde de woorden van haar dochter, 'mal om u meneer Bouwsma te noemen...' Ze giechelde even.

'Dat is inderdaad mal, dat ben ik met je eens. Ik bel in de eerste plaats om je geluk te wensen met je diploma, maar ik bel ook omdat ik graag een afspraak met je wil maken. De weken voor het eindexamen wilde ik niet bellen, je had genoeg aan je hoofd, maar nu die spanning weg is en je heerlijke vakantiedagen voor de boeg hebt, wil ik je vragen naar een rustig plekje in een restaurant te komen. Ik wil je ook ophalen natuurlijk, maar ik wil graag met je praten. Ik ben jouw echte, je natuurlijke vader en jij bent mijn dochter, jij bent een kind van mij.'

'U heeft op de middag, toen wij elkaar voor het eerst zagen gezegd dat u mij niet wilde loslaten en dat begreep ik toen. Het was voor u en voor mij een verwarrende middag. Ik wist niet hoe erover te denken en waarschijnlijk voelde u hetzelfde. Maar een afspraak met u, nee, dat kan niet, meneer Bouwsma. U weet niet wat zich hier in huis na die middag heeft afgespeeld, daarom vertel ik u één belangrijk feit en dat is dat mijn ouders heel erg gekant zijn tegen een gesprek tussen u en mij. Zij verwachten in de eerste plaats dat er moeilijkheden voor mij uit zullen voortkomen. Mogelijk hebben ze ook aan problemen voor hen gedacht, dat weet ik niet, maar in elk geval zijn ze ervan overtuigd dat het hebben van twee vaders voor mij te veel van het goede zal zijn. En daar zit wel iets in. Sterker nog: daar zit heel veel in!'

Marieke lachte in de hoorn. 'Mijn vader is een schat, maar hij heeft met de regelmaat van de klok verstandige opmerkingen en goede raadgevingen voor me. Ik kan die van hem redelijk goed verwerken. Soms zijn ze nuttig, soms totaal niet. Dan schuif ik ze in de prullenbak. Als nu een tweede vader zich op dezelfde manier met me gaat bemoeien...'

Menno Bouwsma luisterde met verbazing naar de jonge stem. Dit was zijn dochter, wat een leuke meid om het zo snel op deze manier op te pakken...

Maar Marieke wist niet hoe het verder moest, dit gesprek overviel haar en ze was tegelijkertijd bezig met de vraag die op de achtergrond in haar hoofd zeurde, wilde ze wel of wilde ze niet met deze man praten. Ja, ze wilde met die man praten en Edwin vond dat ze het recht had met hem te praten. Hij was tenslotte haar vader en de ouders van Edwin waren het ermee eens. Maar zij woonde hier, in dit huis en papa Frits wilde niet dat ze hem ontmoette, dus kon het niet doorgaan. Welk antwoord moest ze hem nu geven? Een uitvlucht zoeken was het beste, proberen het gesprek op een lichte toon verder te voeren, een grapje erbij als dat mogelijk was, dat ontspande de sfeer en hem dan zeggen dat verder contact tussen hen onmogelijk was omdat haar vader het haar had verboden. Haar gedachten gingen snel. Ze wilde met hem praten. Hij was toch belangrijk in haar leven geweest. Hoe had Edwin het gezegd: 'Als hij die avond met jouw moeder haar niet in zijn bed had getild was jij niet op deze prachtige wereld gekomen, wist je niet van een leven op aarde en dan had ik je niet ontmoet en dan was ik nooit echt gelukkig geworden.' Malle Edwin... Deze man hoorde toch een klein beetje bij mama en haar en mama vond het goed als ze met hem praatte...

Menno Bouwsma voelde de aarzeling in haar. 'Het is lief je vader te willen gehoorzamen, Marieke, maar ik ben ook een vader van je en ik stel voor dat we een afspraakje maken voor één gesprekje. Eén keer tegenover elkaar zitten en met elkaar praten. Als je die ene keer naar de afgesproken plek komt ben je wel ongehoorzaam, maar één keertje ongehoorzaam zijn is toch niet erg? En ik weet na alles wat je me gezegd hebt dat jij met me wilt praten.'

'Ja, dat is ook zo,' antwoordde ze hem eerlijk. 'Maar het is meer nieuwsgierigheid dan er het nut van inzien. En nieuwsgierigheid is volgens mama geen goede eigenschap. Maar daar staan veel goede eigenschappen tegenover. Ik neem een besluit. Ik wil met u praten. Zegt u maar waar; ik vermoed dat u al een plekje in gedachten heeft...'

Hij lachte, zijn dochter, zijn kind. Hij had tegen dit gesprek opge-zien. Wat zou ze zeggen? Ze was nog zo jong, maar die angst was voorbij. 'Er is een klein restaurant in de buurt van de Buitenkade, Marieke, het heet De Kleine Ankerplaats.'

'Ik weet waar het is. Noemt u een dag en een tijd en ik zal er zijn.' Ze had beslist iets van zijn karakter in zich, dat geloofde hij zeker. Doortastend, besluiten durven nemen. Ondanks vader Frits...

Liz was tijdens het gesprek de kamer binnengekomen. Of ze in de keuken op een stoel bleef of dat in de kamer deed, Marieke wist dat ze de woorden had gehoord die zij had uitgesproken.

'Je weet het, mam, ik heb een afspraak met hem gemaakt.'

'Luister, Marieke. We moeten snel iets bespreken. Thomas en Ineke komen zo binnen. Ik vind het goed dat je een afspraak hebt gemaakt met je biologische vader. Er is tenslotte een lijn die jullie bindt. Papa is tegen babbelen met Menno. Hij ziet er veel problemen uit voort-komen en mogelijk heeft hij gelijk, maar de feiten liggen zoals ze liggen en jij hebt het recht met die man te praten. Maar het is het beste er geen discussie over uit te lokken. We beschouwen dit onderonsje als een geheimpje van ons tweetjes. Ik weet dat papa het voornemen heeft na het eindexamen, geslaagd of niet geslaagd, over dit onderwerp te beginnen. Vanavond of morgenavond komen zijn meningen en beslissingen op tafel. Het is niet goed van een moeder dit te doen, maar hier speelt een bijzondere situatie mee. En jij hebt de leeftijd te begrijpen dat ik je niet tegen je vader wil opzetten. Want, Marieke, blijf ervan overtuigd dat papa het allerbeste met jou voor heeft. Maar het is een man die te vaak in één richting denkt. Hij is in zijn gedachten niet flexibel. Hij denkt zo en zo is het. Er zitten weinig andere mogelijkheden tussen. Als papa in het gesprek tot het besluit komt dat we alledrie Menno Bouwsma buiten ons leven houden, knikken wij. Je moet dat niet overtuigend instemmend doen,' Liz lachte even, 'dat kan argwaan oproepen, gewoon, ja papa, is voldoende. Maar jij gaat naar die afspraak. We zijn tegenover man en vader ongehoorzame vrouwen, maar ik ben ervan overtuigd dat dit het beste is om veel trammelant te voorkomen. En wij hebben andere gedachten en gevoelens ten aanzien van Menno Bouwsma dan papa. Voor wanneer is de afspraak gemaakt en waar zal het plaatsvinden?' Niet in De Witte Lelie, wist ze zeker.

'Donderdagmiddag om drie uur in De Kleine Ankerplaats. Jij kent dat restaurantje wel, aan het water.'

Marieke fietste erheen. Op het parkeerterreintje stond een mooie auto, een Volvo. Zou die van Menno Bouwsma zijn?

Ze stapte het restaurant binnen. Ze zag Menno Bouwsma opstaan om haar te begroeten.

'Fijn dat je gekomen bent, Marieke.'

Het gesprek begon stroef, geen van beiden wist de juiste woorden te vinden om het praten wat interessanter te maken. Menno wilde niet te veel vragen en niet te nieuwsgierig zijn, maar Marieke had na enige tijd het gevoel dat ze met dit oppervlakkige geleuter niet veel opschoten en ze besloot het anders aan te pakken. 'U wist op die dinsdagmiddag niet van mijn bestaan, uw vrouw wist er dus ook

niets van. Hoe reageerde zij toen u na dat gesprek thuiskwam?'
'Het was voor haar natuurlijk ook een bijzondere werkelijkheid dit
te horen. Ze verwachtte, dat was het uitgangspunt waarmee ze op
zoek was gegaan naar mijn vriendinnetje van vroeger, dat jouw
moeder en ik een gezellig praatje hadden gemaakt. Herinneringen
ophalen aan toen, erom lachen en afscheid nemen met het weten
dat het haar goed ging en dat het mij goed ging. Er zouden geen
plannen gemaakt worden een vriendschap tussen mijn vrouw en
mij enerzijds en jouw ouders anderzijds, op te zetten.'
Marieke knikte. 'Dat was een verstandig besluit.' Ze tilde haar kopje
naar hem op en hij zag een glinstering in de blauwe ogen. 'Het lijkt
me ook een beetje gevaarlijk dat te doen. Je weet nooit of er een
moment komt waarop iets van de oude liefde weer oplaait. U had
met uw vrouw afgesproken dat er geen verdere ontmoetingen
gemaakt zouden worden. Het bleef bij deze ene middag.'
Menno knikte. Ja, het zou bij die ene middag blijven.
'Maar toen hoorde u van de zwangerschap en u zag mij...'
'Vanaf dat moment tolde en draaide voor mij de wereld gedurende
vijf minuten als een razende bol om me heen, opeens kwam hij tot
stilstand, ik zag jou en ik wist dat ik jou niet meer zou loslaten.'
'U begrijpt dat mijn moeder en ik over deze geschiedenis hebben
gesproken. Na dat gesprek begreep ik niet waarom ze heeft ingestemd met uw komst naar ons huis. Ze zei me wel: "Jij wilde je vader
zien en dit was een mooie gelegenheid" en dat was ook zo, maar zij
kon toch weten wat er uit voort zou komen?'
'Je hebt je moeder gevraagd waarom ze mijn bezoek toestond, maar
je kreeg naar jouw gevoel geen bevredigend antwoord. Ik denk,
Marieke, maar waarschijnlijk is het een stoute gedachte van me,
maar ik vermoed dat ze me alsnog wilde straffen voor wat ik die
avond in mijn studentenkamer met haar had gedaan. Haar naar
mijn bed gedragen en gemeenschap met haar te hebben gehad. Dat

was ook een vreselijke fout van mij, maar ik was zo verliefd op haar, ik hield zo van Lizzy, ik was mezelf niet meer. Het gebeurde in een roes van liefde en verlangen.' Marieke hield nu haar hoofdje naar de andere kant een beetje schuin, keek hem nog altijd aan. 'Als dit de waarheid is vind ik het geen hoogstaand handelen van mijn moeder na zoveel jaren op deze manier wraak te nemen, maar aan de andere kant heb ik er toch wel begrip voor. Want uw nare daad,' ze lachte naar hem ondanks de belangrijke inhoud van haar woorden, 'heeft haar leven op een heel ander spoor gezet dan het spoor waarover ze droomde...'

Het gesprek verliep vanaf dat moment opener en vertrouwelijker. Menno Bouwsma was er heel blij mee.

Toen het naar halfzes liep zei Marieke: 'Ik moet nu naar huis. Ik vond het leuk u wat beter te hebben leren kennen, maar ik ben het met mijn vader eens dat de beste weg is geen verder contact te hebben.'

'Dat spijt me heel erg, Marieke. En ik weet niet of ik aan dat verzoek kan voldoen. Je bent mijn dochter, ik zie gelijkenissen tussen ons en niet alleen wat het uiterlijk betreft. Ik wil je heel graag beter leren kennen. Mijn vrouw Suzanne wil je ook ontmoeten. Neem hierover deze middag nog geen beslissing. Luister naar de argumenten die je vader aanvoert het contact tussen ons af te sluiten. Hij zal zeggen dat twee vaders hebben te veel is voor een kind, maar er kunnen omstandigheden ontstaan waarin er geen andere mogelijkheden zijn die twee vaders te accepteren. Zo'n geval ontstaat als zij beiden mensen zijn waarmee je je verbonden voelt en die je in je leven wilt houden. Marieke, we doen het anders. Ik geef je het telefoonnummer van ons huisadres. Sommige avonden ben ik niet thuis omdat er vergaderingen of besprekingen zijn, maar de meeste avonden ben ik er wel. En zeker in het weekend. Bel jij me als je me weer wilt zien? Ik wacht tot jij het initiatief neemt. En als je Suzanne aan de lijn krijgt kan je haar vertellen wat je wilt. Ze wil je graag ontmoeten. Ik ben nieuwsgierig met welke argumenten je vader komt. Ik vermoed dat het een man is die wat breder moet leren denken. En niet bij voorbaat iets afsluiten uit angst voor zorgen.'

'Zo is mijn vader wel een beetje, maar los daarvan is het een heel fijne, goede man. Ik houd veel van mijn papa.' Het klonk wat kinderlijk, ze wist het, maar ze deed het om Menno Bouwsma te laten voelen hoe ze op papa Frits gesteld was.

Toen ze thuiskwam zaten Ineke en haar vriendinnetje Marleen op de bank plaatjes te kijken in een muziekboek en aan de grote tafel speelden Thomas en Robbie rummikub. Moeder stond in de keuken. Marieke ging naar haar toe en sloot de deur naar de kamer.

'Het is echt een aardige man, mam. Ik heb hem in mijn fantasie twintig jaar teruggedraaid en toen zag ik een leuke knul. Echt een jongen om verliefd op te worden. Ik vind het nog een man waarop een niet meer heel jonge vrouw verliefd kan worden.'

'Hebben jullie weer een afspraak gemaakt?'

'Ik wilde geen afspraak maken. Ik vertelde hem hoe papa erover denkt en dat ik verwacht dat mijn vader me zal verbieden afspraken met hem, Menno Bouwsma, te maken. Dat vond hij natuurlijk een onzinnige beslissing van vader Frits en om een deurtje open te houden speelde hij de beslissing naar mij toe. Hij gaf me zijn telefoonnummer. Als ik bel krijg ik hem aan de lijn, of, wanneer hij niet thuis is pakt zijn vrouw de telefoon op. Zij kent het hele verhaal en ze wil me graag zien. Als echtgenote na zoveel jaren de dochter van je man zien, en de gelijkenis tussen die twee, dat moet toch een emotionele ervaring voor Suzanne zijn, maar Menno praatte er vrij rustig over. Mogelijk is door veel te praten over hem, over jou en over mij alles een beetje als normaal in hun leven geworden. Maar het lijkt me voor haar geen prettige ervaring.'

'Uit wat oma Nadine over haar vertelde kreeg ik de indruk dat het een vrouw is die haar man in alles wil helpen en bijstaan. Dergelijke types bestaan dus toch nog wel! Menno heeft er één gevonden en hij zal blij met haar zijn. En zij heeft waarschijnlijk na zijn biecht gedacht: het geval ligt nu eenmaal zo, het kan niet ongedaan gemaakt worden, het enige is het accepteren en er een goede kant in proberen te vinden. Zijn woorden hebben haar beslist duidelijk gemaakt dat hij jou niet loslaat en mogelijk kan ze dat heel goed van hem begrijpen. Hij wacht nu af wat jij gaat doen, maar als jij niets van je laat horen zoekt hij jou weer op.'

'Het kan nog een zorgelijke zaak voor me worden, mam! Als het me te warm onder de voeten wordt emigreer ik naar Nieuw-Zeeland! Ik zal er vanavond met Edwin over praten. Dan is hij in elk geval vroeg genoeg voorbereid.' Haar moeder knikte, ja, lieverd, maak er maar grapjes over.

'En, nog even dit, mam, als papa vandaag of morgen wil praten over hoe het verder aangepakt moet worden en hij mij min of meer ver- biedt Menno Bouwsma te ontmoeten, mam, dan wil ik toch mijn visie op de hele geschiedenis naar voren brengen. En ik hoop dat jij je er dan buiten houdt.'

'Dat zal afhangen van hoe ik het verdere verloop zie. Papa en ik zijn al vele jaren gelukkig met elkaar, ik wil geen breuk in ons huwelijk. Hij heeft jou aangenomen als zijn dochter, ik wil niet dat er tussen hem en mij verwijdering komt door jou. Als je daarover nadenkt, Marieke, begrijp je hoe ik dit bedoel.'

'Ja, mam, ik snap het wel een beetje, en ik zal proberen in rustige woorden uit te leggen hoe ik het zie.'

'Je weet hoe kort papa soms denkt. Meestal is achter zijn kort en straf beslissen een angst verborgen voor nare gevolgen en moeilijk oplosbare problemen, die zouden kunnen ontstaan als hij niet vast- houdt aan zijn beslissing. Ik zeg hetzelfde nog eens in andere woor- den: als hij geen maatregelen neemt om het onheil te voorkomen.

Hij kiest voor de zekerste weg, zoals hij die ziet, dat zeg ik erbij, hij kijkt niet voldoende naar wat hij daardoor mogelijk achterlaat aan andere mogelijkheden.'

Tijdens de maaltijd, Ineke bracht het dessert naar de tafel, zei Frits de Winter: 'Marieke, mama en ik willen vanavond met jou praten. Heb je plannen ergens heen te gaan?'

'Ja, ik heb afgesproken vanavond bij de Winkelaars te komen. Ze hebben logees, een neef en nicht uit Australië en Edwin vindt dat zij mij moeten zien. Het meisje van Edwin, dat is toch belangrijk en ik moet met hen kennismaken. Als Edwin volgende week hun namen noemt weet ik over wie hij het heeft. Alleen van uiterlijk natuurlijk. Maar dat is toch een houvast. Ik kom niet laat terug. Maar als het iets is, pap, waarover we misschien lang moeten discussiëren...'

'Dat zal niet het geval zijn. Ik wil alleen iets zeggen, iets vaststellen, iets omlijnen zodat wij alle drie weten welke beslissing is genomen. Als je uiterlijk kwart over tien thuis bent kunnen we het onderwerp nog wel op tafel leggen.'

Marieke knikte. Ze haalde haar jack uit de hal en liep naar de keukendeur. Ze zei op een lichte, vrolijke toon: 'Tot straks!' en verliet het huis.

Tien minuten over tien was ze weer thuis. Ze stapte de kamer binnen met een rood, warm gezicht en lachende ogen.

'Waren de Australiërs zo gezellig en vrolijk?' vroeg haar moeder lachend.

'Ja, het is een heerlijk stel. Nog jong, even in de twintig en we hebben een plezierig gesprek gevoerd.'

Ze bracht haar jack naar de hal, hing hem weer keurig aan de kapstok. Ze kwam de kamer binnen en liet zich in een gemakkelijke stoel zakken. Ze zag het gezicht van haar vader. Papa was gespannen. Hij had zich op het komende gesprek voorbereid en hij verwachtte dat er tegenstand zou komen.

'Je begrijpt, Marieke, dat mama en ik met elkaar hebben gepraat toen de vrouw van Bouwsma een korte ontmoeting tussen haar man en mama wilde vastleggen. Mama voerde als haar motief voor 'ja' aan dat jij haar had gezegd graag je biologische vader te willen zien. Dat bezoek was er een mooie gelegenheid voor. Twee vliegen in één klap. Maar het hield wel in, en dat was voor mij de reden er niet blij mee te zijn, en dat is dan nog simpel uitgedrukt, dat als jij naar je biologische vader zou kijken, hij jou zou zien. En het was ons bekend dat hij niet van jouw geboorte wist. Het was dus van tevoren al duidelijk te verwachten dat het voor die man een ontzettende overval zou worden. Eerst mama te horen zeggen dat ze na de nacht met hem zwanger was geworden en daarna geconfronteerd te worden met jou, zijn kind en haar kind. Het was niet moeilijk te voorspellen hoe die man zou reageren. Ik stelde mezelf de vraag: hoe zou ik reageren? En toen wist ik genoeg. Want ik zou stomverbaasd zijn geweest. Mijn hemel, wat was dit? Ik zou niet weten wat te zeggen, maar als de eerste schrik was weggetrokken zou ik roepen dat ik jou nooit meer losliet! En dat heeft Bouwsma ook geroepen. Het was in mijn simpele gedachten volkomen voorspelbaar, maar mama hield vol dat het bij dat ene bezoekje zou blijven. Kind of geen kind... Maar dat was toch onmogelijk als je wist wat te gebeuren stond? Mama wilde een paar uurtjes met hem praten, aan het einde van het praatuurtje over de zwangerschap vertellen en hem daarna met jou confronteren.' Frits de Winter bleef tijdens het uitspreken van deze woorden naar zijn dochter kijken. Hij voegde er nog aan toe: 'Ik ben ervan overtuigd dat mama heel goed wist wat dit bij die man zou losmaken. Ik heb de oplossing van het raadsel gezocht in het feit dat mama jarenlang haar stille woede ten opzichte van Menno Bouwsma met zich heeft meegedragen en daar deze middag haar voldoening uit wilde putten.'

Toen haar vader zweeg, reageerde haar moeder niet op zijn woorden en ook Marieke besloot niets te zeggen.

'Je bent een verstandig meisje, Marieke, je hebt je diploma gymnasium, je kunt nadenken en als je dat doet kun je voorspellen wat er gaat gebeuren als wij drieën, vanaf nu, geen duidelijke lijn trekken. Deze meneer Bouwsma wil jou niet loslaten, dat begrijp ik, maar hij komt met dat verlangen mijn leven en ons leven binnen, ook mijn huwelijk en het huwelijk van mama, ook ons gezin, waar jij toe behoort en hij zal jouw toekomst beïnvloeden. Ik wil dat niet laten gebeuren, ik kan het niet toelaten. Los daarvan heb ik begrepen dat Bouwsma een man is met een sterk karakter en een sterke wil. Ik heb inlichtingen over hem ingewonnen. Hij regelt veel grote bouwprojecten, hij heeft een hoge functie in het bouwbedrijf van Wildervanck en Groenewegen. Hij wordt zeer gewaardeerd. Na al die berichten is het me duidelijk dat het een man is die op elk terrein zal vechten om zijn doel te bereiken.'

'Pap, je moet het ook van mijn kant zien. Jij bent mijn vader, ik houd heel veel van je, jij was en bent er altijd voor me. Er is een sterke band tussen ons en dat zal altijd zo blijven. Zolang jij en ik leven. Jullie hebben me toen ik tien jaar was verteld dat jij niet mijn echte vader bent. Daar begreep ik niets van. Een vader in een gezin met een vrouw en kinderen is toch de vader? Echte vader, biologische vader, natuurlijke vader. Wat was dat nou weer? Nee, jij was voor mij gewoon mijn vader. En verder dacht ik er niet over na. Later wist ik wat het verschil was. Ruim een jaar geleden wilde ik de man die mijn echte vader is, wel eens zien. Dat heb ik toen tegen mama gezegd. Kortgeleden heb ik hem ontmoet. Ik lijk op hem, ik wil meer van hem weten, ik wil hem beter leren kennen.

Toen jij mama vertelde dat je verliefd op haar was heeft zij jou gezegd dat er van een verkering tussen jullie niets kon komen omdat ze zwanger was van een andere jongen. Maar ze vertelde erbij dat ze beslist niet met die jongen verder wilde gaan. De zwangerschap was voor jou geen bezwaar toch met haar te willen trouwen. En dat is ook gebeurd.

Menno Bouwsma speelde tot voor kort geen rol in mijn leven. Ik kende hem niet, maar ik wilde hem wel eens zien. Het was alleen nieuwsgierigheid. Ik wilde weten wat voor man het was en hoe hij eruitzag, maar meer dan dat was het niet. Toen wij tegenover elkaar stonden voelden hij en ik dat er een band tussen ons is, de gelijkenis en wat men noemt: je eigen vlees en bloed. Zo ligt het en het kan niet ongedaan gemaakt worden.

Pap, je hebt er waarschijnlijk in de dagen rond jullie huwelijksvoltrekking niet aan gedacht dat er een dag kon komen waarop mijn biologische vader mijn leven binnenkwam. Het lag ook niet voor de hand, maar het was wel mogelijk dat het gebeurde. En het is gebeurd. Hij wil mij niet loslaten en ik wil hem op dit moment nog niet uit mijn leven laten gaan. Ik wil hem leren kennen. Want hij is mijn vader.'

Er werd die avond tot heel laat gepraat. Frits de Winter bracht breeduit zijn argumenten en verwachtingen voor de toekomst naar voren en hij noemde op welke gevaren er voor hun gezin kleefden aan inmenging van Menno Bouwsma in hun leven. Want wanneer hij een plekje had ingenomen in het leven van Marieke betekende dat, dat hij eveneens een plekje had ingenomen in het leven van het gezin De Winter en dat duldde Frits de Winter niet. Vader Frits wilde niet luisteren naar wat Marieke daartegenin bracht. En zij wilde niet toegeven en beloven dat ze Menno Bouwsma niet meer zou zien. Er werden harde woorden uitgesproken.

Liz de Winter probeerde de sfeer tussen man en dochter te matigen. Ze drong aan op meer begrip van beide kanten. Er moest nog eens goed over nagedacht worden, dat zou verhelderend werken, vader en dochter mochten niet zo streng tegenover elkaar staan... Maar het mocht niet baten.

Laat in de avond stond Marieke op. 'Ik wil hier niet langer over praten. Je luistert niet naar mij, je dramt alleen door over alles wat in jouw gedachten belangrijk is. Ik ga naar mijn kamer. Ik hoop dat je erover nadenkt.'

'En ik zeg je dat ik het hoofd van dit gezin ben, ik ben je vader en ik verbied je op welke manier dan ook contact met die man te houden.' Zijn blauwgrijze ogen keken haar recht en kil aan.

Marieke liep naar de kamerdeur, opende de deur en stapte de gang in. De trap op naar haar eigen kamer. Ze draaide de sleutel van de deur in het slot om.

8

DE VOLGENDE MORGEN WACHTTE MARIEKE IN HAAR BED, HET HOOFD
op het zachte kussen en de benen gestrekt onder het warme dekbed,
op het wegrijden van de auto van haar vader vanaf het pad naast het
huis, onder haar slaapkamerraam. Toen ze het grommende geluid
van de motor hoorde wegsterven schoof ze het warme dekbed van
zich af en zette haar blote voeten op de zachte vloerbedekking. Ze
kon rustig aan doen, ze had min of meer vakantie, lekker even dou-
chen, tandenpoetsen, zich aankleden en dan naar beneden. Intussen
waren Ineke en Thomas naar school vertrokken en was er tijd om
met mama te praten.
'Goedemorgen, mam,' begroette ze haar moeder. Liz keek haar
dochter aan, er trok ondanks het weten van wat er de vorige avond
was gebeurd, een lachje om haar mond. 'Goedemorgen, meisje.
Schuif aan tafel. Eerst een kop warme thee en een boterhammetje,
dan hebben we een ondergrondje. Daarna storten we onze gevoelens
over gisteravond uit.'
Liz nam de theepot vanonder de kleurige muts en schonk de kopjes
vol. Al tijdens het smeren van de boterhammen begon ze aan de
inleiding die ze vannacht in bed had overdacht. 'Ik wil allereerst
zeggen dat ik het een heel nare avond vond, maar zo zal jij er ook
over denken. Ruzie is nooit prettig en ruzie tussen vader en dochter
is dat zeker niet. Wij zijn dat in ons gezin ook niet gewend. Voor mij
is het moeilijk er een mening over naar voren te brengen, want in
dit conflict sta ik, als het erop aankomt, aan jouw kant. Daarover zeg
ik straks een en ander. Maar ik zie ook de redelijkheid van papa's
woorden in als hij zegt bang te zijn voor de inmenging van Menno
Bouwsma in ons gezinsleven. Jullie hebben dus beiden goede argumenten om achter je standpunt te staan. Ik noem mijn standpunt in
dit nog niet, want deze twee gezichtspunten geven al problemen

genoeg bij het oplossen. Maar door de woorden van gisteravond is veel onrust ontstaan in ons huis.'

Marieke knikte, ze smeerde boter op een sneetje brood en tipte met haar vork een plakje kaas van het schaaltje. Niets zeggen, naar mama luisteren.

'Ik begrijp papa, Marieke, en ik wil dat jij hem ook begrijpt. Dat je het van zijn kant wilt zien. Papa en jij hebben elk een eigen standpunt en vanuit ieders zienswijze heb je beiden gelijk. Maar de vraag is, hoe brengen we deze twee inzichten op een goede manier bij elkaar...' Liz keek haar dochter recht aan. 'Ik heb soms het gevoel, lieverd, dat jij vindt dat papa een bange man is. Maar dat is beslist niet waar. Jij toetst dat onder andere aan zijn werk op het kantoor van Hooyman en Frederikson. Hij werkt daar al vele jaren, hij zoekt geen andere baan, om, zoals de jeugd dat noemt, hogerop te komen. Dat brengt snel de gedachten dat hij bij Hooyman blijft hangen omdat hij weet wat hij daar heeft aan werkomgeving en aan salaris. Maar waarom zou hij zoeken naar een andere werkomgeving? Hij heeft het naar zijn zin op dat kantoor. Hij voelt zich er thuis. Hij heeft fijne collega's waarmee hij goed kan opschieten. Hij werkt elke dag met plezier. Jij vermoedt dat hij diezelfde ideeën in ons gezin wil vasthouden. Aardige vrouw, lieve kinderen, alles loopt op rolletjes, geen verandering aanbrengen, houden zoals het is. Een stap verder: en geen mensen binnenhalen die onbekend voor ons zijn en na korte tijd mogelijk erg tegenvallen: hoe krijg je ze dan weer de deur uit, het is beter ze niet binnen te halen... Die vorm van angst is papa volkomen vreemd. Maar in de omstandigheden die hier nu spelen, weet hij welke moeilijkheden eruit kunnen voortkomen. Hij denkt aan die vele moeilijkheden. En ik zie ze ook, Marieke, ik zie ze ook. Ik weet uit eigen ervaring wat voor man Menno Bouwsma is. Het was een korte periode van een fijne vriendschap tussen hem en mij en ik was nog jong, maar de tijd was lang genoeg om hem goed te leren kennen. Papa heeft zich een beeld van Menno gevormd door wat destijds door mij over hem werd verteld. Hij voegde daaraan toe wat hij de laatste maanden hoorde van jou en van mij. De eigenschappen van Menno zijn niet verkeerd. Maar het is wel een man die wat hij wil hebben dikwijls ook krijgt. Hij doet echt zijn best het te krijgen, sterker nog, hij sloof hij zich ervoor uit. Hij weet nu dat hij een dochter heeft en ik weet zeker, Marieke, dat hij met dat weten ontzettend blij is. Menno wist destijds al wat hij later wilde. Als hij eenmaal gesetteld zou zijn, hij studeerde ijverig om dat plaatje waar te maken, koos hij een lieve vrouw en zie, die wens was al in vervulling gegaan, want hij had haar inmiddels gevonden! Die lieve vrouw was ik, het begin van de droom was er.' Lizzy glimlachte. 'Hij wilde een gezin. Kinderen, vrolijkheid, praten en lachen en drukte in huis, maar in dagen van zorg, verdriet en tegenspoed zou hij er zijn om als man en vader te doen wat in die gevallen het beste was. Menno Bouwsma is een krachtige persoonlijkheid. Hij wilde de vader zijn die goede raad gaf en zijn kroost hielp en ik weet zeker dat hij dat ook zou doen als de Grote Kracht die boven ons staat en onze levens leidt, hem daartoe de kans had gegeven. Eigenlijk was zijn verlangen simpel als je weet hoeveel gezinnen er op de aarde gevormd worden. Menno verlangde naar de taak die hij erin zou vervullen. Hij verlangde naar de liefde van een vrouw en de liefde van kinderen. Hij had daarnaast, maar het stond er echt naast, ook het verlangen veel te bereiken op het werkterrein, daarin voldoening vinden, resultaten boeken en noem maar op. Maar zijn gezin zou toch het voornaamste zijn. Maar het liep anders. Ik wilde niets meer van hem weten en hij trouwde met Suzanne. Hun huwelijk bleef kinderloos. Dat was voor beiden een grote teleurstelling. En dan opeens, zie wat het leven met hem doet, is hij toch vader! Heeft hij een dochter, een mooie dochter, die op hem lijkt! Het was begrijpelijk dat Menno op de middag van de waarheid voor hem, niet begreep wat er met hem gebeurde. Wij hebben zijn reactie allebei gezien. Nadat hij thuis alles aan zijn vrouw had verteld wist hij zeker dat hij jou niet zou loslaten en dat begrijp ik volkomen. Hij is daardoor geen bijzondere man. Welnee, er zijn meer vaders die horen dat ze een kind hebben en die dat kind niet meer uit het oog willen verliezen.' Liz lachte. 'Je hoort, meisje, hoe begrijpend ik ben! Ik begrijp je vader, ik begrijp Menno Bouwsma en ik begrijp jou. Maar er is nu een situatie ontstaan die in de praktijk moeilijk op een voor elk aanvaardbare wijze opgelost kan worden.' Liz zweeg even, ze dronk van de thee die nog in het kopje zat.

Marieke zei: 'Ik ga psychologie studeren. Als ik nu die studie al achter de rug had wist ik wat het beste was om te doen.'

'Misschien wel, lieverd, maar open oren en open ogen en nuchter nadenken brengt een mens op dit terrein een heel eind in de goede richting.'

'In de psychologie duikt men ook in de diepere achtergronden van de menselijke ziel, mam. Gebeurtenissen uit de jeugdjaren lijken soms vergeten en afgevoerd te zijn, maar later kan duidelijk worden dat ze in een verscholen hoekje van het onderbewustzijn bewaard zijn gebleven en na jaren meespelen in conflicten. Zoals voor jou de trauma's over het handelen van je vader een gevolg hebben gehad. En heel waarschijnlijk heeft het meegespeeld bij het nemen van je beslissing je liefde voor Menno zo radicaal af te kappen. Je had hem toch kunnen opzoeken en hem vertellen wat er aan de hand was? Het zou waarschijnlijk een nare toestand zijn geworden, maar oma Nadine en Hans hadden jullie zeker geholpen. Ze stuurden je nu ook niet met mij, krijsend in een handdoek gewikkeld, naar een tehuis voor ongehuwde moeders.' Marieke maakte met haar armen de beweging een kindje te wiegen. Ze glimlachten beiden om het geschetste beeld.

'Nee, dat was zeker niet gebeurd. Maar Menno had zijn plan mij in zijn bed te krijgen uitgevoerd en na dat gebeuren stond voor mij vast dat ik wist hoe hij was. In het kort gezegd: hij had ook de streken van mijn vader.'

In Lizzy's brein fluisterde een stemmetje: je bent gemeen, het is waar dat je het toen zo voelde, maar nu weet je dat het zo niet is geweest. Je verzwijgt de waarheid voor je dochter. Je kunt dit doen omdat Menno heeft beloofd te zwijgen. Maar Marieke ziet in haar vader nog steeds de man die haar moeder lelijk heeft behandeld... Je hoopt dat dat denken Marieke niet te veel zal beïnvloeden.

Lizzy schudde de fluisterwoorden van zich af en praatte verder: 'Ik begrijp dat jij Menno Bouwsma niet wilt loslaten. Maar, lieve schat, het is heel belangrijk dat je over een en ander in de komende dagen nuchter gaat denken. En, Marieke, kijk vooral naar wat hieruit kan voortkomen. Zoals het leven nu voor je ligt heb je een prettig leven. Ik mag toch zeggen dat we een fijn gezin hebben. Je had tot voor dit conflict een goed contact met papa en met mij, je houdt van ons en wij houden van jou. Je houdt van Ineke en Thomas. Ze zijn nu nog te jong om er veel aan te hebben, maar naarmate jullie drietjes ouder worden zal je bemerken hoe heerlijk het is een zus en een broer te hebben. Ik heb dat gemist, maar ik zag in mijn omgeving hoe waardevol het kan zijn. Je bent geslaagd voor het gymnasium, alle papieren voor de start op de universiteit liggen klaar. Je hebt Edwin, wie weet blijft de liefde tussen jullie, maar als het voorbijgaat komt er een nieuwe kans. Er zijn leuke vrienden en vriendinnen waarmee je de studiejaren gaat beginnen. Je leven is goed, je leven zal ook vol werk en gebeurtenissen zijn. Hoe past een omgang met Menno Bouwsma hier op een goede manier tussen? Als jij hem ontmoet en blijft ontmoeten brengt dat strubbelingen tussen papa en mij. Papa duldt het beslist niet en ik voel met hem mee. Maar ik begrijp dat jij, je bent nog jong, achttien jaar, je hebt totaal geen levenservaring, alle dagen waren goed en verzorgd, dat het voor jou een emotioneel gebeuren is geweest opeens tegenover je biologische vader te staan. Dat begrijp ik en dat begrijpt papa ook. Maar, ik zeg het nu duidelijk, Marieke, er is voor papa en mij geen mogelijkheid hem en zijn vrouw in jouw leven toe te laten als je ook ons gezin, mij en mijn man, die als een eigen vader voor je is, om je heen wilt houden.' Marieke zakte terug tegen de leuning van de keukenstoel. Ze zaten nog steeds aan de ontbijttafel. Ze voelde zich moe en ongelukkig en ze wist niet wat ze hierop moest antwoorden. Ze had dit verloop van het gesprek niet verwacht. Ze had verwacht dat mama in de allereerste plaats begrip zou hebben voor haar gevoelens en haar aandacht voor Menno. Mama zou het begrijpen en dat deed ze ook wel, maar ze steunde haar niet als het om verder contact tussen Menno en haar ging, mama koos duidelijk de zijde van papa...

'Ik weet niet wat ik hierop moet zeggen, mam. Ik begrijp de redenering van papa en jou wel, ik moet Menno Bouwsma aan de kant schuiven, hij past niet in ons leven, maar zo nuchter ligt het voor mij niet. Het is niet de feiten op een rij zetten, optellen en aftrekken en kijken wat de eindsom is. Ik heb een fijn leven, goed en genoeglijk, die woorden wil ik ervoor gebruiken, ik ben me daar ook van bewust, maar mijn echte vader van me afschuiven nu ik hem nog maar even heb gezien, alleen de middag van de ontmoeting, nee, dat wil ik niet, dat gaat me te ver. Dat doe ik niet. Ik wil meer van hem weten. En als daaruit problemen in dit huis voortkomen, kan ik op dit moment niet zeggen wat ik zal doen. Daarover moet ik nadenken. Je zei met open ogen kijken, met open oren luisteren en nuchter denken. Dat zal me van pas komen. Het zal een vreemde situatie worden als ik Menno ga ontmoeten en hem blijf ontmoeten, maar ik heb het gevoel dat het mogelijk moet zijn. Papa, jij, Menno en zijn vrouw zijn volwassen, verstandige mensen. Ik ben nog wel jong, maar ik ben geen onmondig kind meer. Deze kwestie is voor mij heel belangrijk. Ik wil uitzoeken of er een weg is die ons allemaal tevreden kan stellen. Er rustig over nadenken, niet zo verhit zoals het er gisteravond aan toeging. Nee, denken, overleggen, mogelijkheden zoeken. Mam, ik weet zeker dat er een weg te vinden is. Papa was gisteravond erg opstandig, maar als dat gezakt is is hij weer een nadenkend mens. En Menno Bouwsma is dat ook.'

'Nu ik je zo hoor praten, meisje, denk ik dat je enig talent van Menno op dit terrein hebt meegekregen. En misschien,' Liz de Winter zuchtte, er niet te fel en te heftig tegenin gaan, proberen niet kapot te maken wat tussen Marieke en haar nog heel was, 'misschien is de mogelijkheid te vinden die jij in gedachten hebt. Ik stel voor dat we nu de ontbijttafel afruimen en koffie gaan zetten. Tijdens die werkjes wisselen we geen woord. Even rust nemen. Als de koffie klaar is schenk ik de kopjes vol en praten we in de kamer verder.'

Marieke had de tafel afgeruimd en was naar de kamer gelopen. De versgezette koffie rook heerlijk. Ze zocht een plekje op de bank, kussen onder haar arm, dat vond ze prettig. Hoe zou het gesprek verder verlopen? Mama had krasse uitspraken gedaan, maar tegen het einde van hun praten was ze voorzichtiger geworden. Marieke glimlachte er stilletjes om.

Opeens zag ze een kleine auto voor het huis stoppen. Oma Nadine stapte uit. Ze zwaaide voor het grote raam en maakte met een hand de beweging om aan te geven dat ze om het huis heen zou lopen en door de bijkeuken binnen zou komen.

'Mam,' riep Marieke naar de keuken, 'oma komt met ons koffiedrinken.' Liz kwam snel naar de geopende kamerdeur.

'Lieverd, we zeggen geen woord over de situatie hier. Als oma erover begint zeg ik dat er weinig over te vertellen is omdat we een periode van bezinning in acht hebben genomen. Ik zal snel een ander woord moeten bedenken, om het woord 'bezinning' lacht mijn moeder. Liz en bezinning, maar in elk geval zeggen wij niets over de meningen van jou, papa en mij.'

'Hallo, meisjes van me!' met die luid uitgesproken woorden kwam Nadine van Westen de kamer binnen. Ze stopte intussen de sleutel van de auto in het voorvakje van haar tas. Ze keek van de één naar de ander, het voelde hier een beetje broeierig. Nadine wist wat daar de oorzaak van was, ze vroeg: 'Hoe is het hier?'

'Prima,' antwoordde Liz, 'Marieke hoeft niet meer naar het Erasmus, daar weet je alles van, zij is lekker thuis en ik neem ook een paar vrije dagen.' Na dit antwoord begreep Nadine dat het beter was niet verder te vragen.

'Heel verstandig. En, Marieke, ga je op zoek naar een baantje in deze vakantieweken? Jullie vertrekken over veertien dagen naar Zwitserland, twee weken klimmen en sjouwen over stenige bergpaden, waar je zin in hebt, maar jullie vinden het leuk. Thomas heeft me vorige week enthousiaste verhalen over de tochten van vorig jaar verteld. Maar buiten die vakantie blijven er nog wel een paar weken over om iets aan te pakken voor het eind augustus, begin september is. De studie op de universiteit begint toch in september? Zo is het toch?'

'Ja. Er zal wel ergens een gelegenheid te vinden zijn waar ik wat extra geld kan verdienen en gebruiken kan ik het altijd, maar ik heb er eerlijk gezegd nog niet zoveel zin in. Papa heeft me uitgenodigd drie of vier weken te helpen bij Hooyman en Frederikson. Daar mag ik dan paperassen in het archief op de juiste plaatsen opbergen, maar daar begin ik niet aan. Ik help liever de bloemenman op de markt! Ik fiets vanmiddag bij hem langs om te vragen of hij een bloemenmeisje nodig heeft.' Ze lachte naar haar oma.

Liz had intussen koffie voor haar moeder ingeschonken en hield haar het schaaltje met koekjes voor. Praten over onbelangrijke dingen, maar het was gezellig en de scherpe woorden die mama aan de ontbijttafel had uitgesproken gleden voor Marieke een beetje naar de achtergrond.

Even na halfelf belde Edwin. Liz nam op, gaf de hoorn door aan Marieke. Marieke luisterde even en zei toen: 'Daar kan ik nu nog niets over zeggen.' Edwin begreep dat er omstandigheden waren waardoor ze niets kon zeggen. Hij vroeg: 'Zullen we vanmiddag een fietstochtje maken? Over de dijk langs het IJsselmeer naar Durgerdam bijvoorbeeld?'

'Dat is een goed idee. Hoe laat haal je me op? Halftwee, ja, een mooie tijd. Dan hebben we de hele middag voor ons.' En na de groet 'dag, schat van me', verbrak ze de verbinding.

Even voor halftwee stapte Edwin het huis binnen. Hij groette de moeder van Marieke vriendelijk en zij ontving hem met de woorden: 'Hallo, Edwin, jullie gaan een rondje fietsen? Daar is het uitstekend weer voor. De zon schijnt, er is bijna geen wind, een uitgezochte middag.'

Toen ze langzaam, dicht naast elkaar over de Buitenkade reden vroeg Edwin: 'Wil je echt naar Durgerdam of zullen we naar mijn kamer gaan en praten over wat je dwarszit? Want dat je iets dwarszit hoorde ik vanmorgen aan je antwoord. En ik zie het aan je snoetje, een beetje betrokken.'

'Ja, ik wil je erover vertellen.'

Mevrouw Winkelaar was in de keuken bezig toen de jongelui binnenstapten. Een hartelijke begroeting en mevrouw Winkelaar vroeg: 'Meisje, Marieke, hoe is de toestand thuis nu?' Maar voor Marieke daarop kon antwoorden vertelde Edwin zijn moeder: 'Ik belde Marieke vanmorgen met het plannetje vanmiddag een eindje te fietsen, maar ik hoorde meteen aan haar antwoord dat er iets voorgevallen was. We gaan naar mijn kamer omdat ze het me wil vertellen.'

'Het houdt verband met de ontmoeting met mijn biologische vader, dat begrijpt u wel,' zei Marieke tegen mevrouw Winkelaar. 'U weet daarvan. Mijn ouders en ik hebben er gisteravond over gepraat en dat verliep niet zo prettig. Integendeel zelfs. Ik wil er met Edwin over praten en hij vertelt u er dan over.'

'Goed kind, goed. Ik breng jullie zo iets te drinken.'

Marieke vertelde over alle woorden van de vorige avond en Edwin luisterde. Toen Marieke zweeg, schudde hij zijn hoofd. 'Ik begrijp deze houding van je ouders echt niet. Zij weten toch ook hoeveel kinderen van gescheiden ouders het ene weekend doorbrengen bij hun echte pa en zijn tweede echtgenote, en de volgende week en het aansluitende weekend blijven ze in het huis waar hun echte moeder woont met haar tweede man. Ik houd de koppels op keurig getrouwde mensen. Ik praat niet over 'de nieuwe vriend van mama' of 'de volgende geliefde van papa.' In veel gevallen gaat het om nog jonge kinderen. Ze kennen de ware achtergronden niet, die de breuk veroorzaakten. Ze hebben er geen idee van waarom het huwelijk van hun ouders is gestrand. Overspel, jaloezie, drankmisbruik, noem maar op. Maar ze dobberen wel mee in het bootje met de ellende van geschreeuw, ruzies en tranen. Ze maken de misère wel mee in hun jonge leven.

Nu heeft dit gebeuren in jouw leven plaatsgevonden. Je ontmoette je eigen vader. Hij wil jou leren kennen en jij wil weten wat voor man hij is en nu maken je vader en moeder daar zo'n heisa over!'

'Het zijn twee verschillende situaties. Achter de logeerpartijtjes van de kinderen die je zo even noemde zijn tragedies verborgen, dat kunnen we in het algemeen genomen wel vaststellen. De ouders begonnen destijds uit liefde voor elkaar aan hun leven samen, ze hadden er vertrouwen in, maar er kwamen problemen die het onmogelijk maakten met elkaar verder te gaan. De echtelieden, wat een mal woord, hebben er vanzelfsprekend ook verdriet over dat hun huwelijk is vastgelopen en ze beseffen bovendien dat de kinderen ook door de narigheden moeten. De kinderen snappen niet waarom het niet goed ging tussen hun ouders. Ze weten niet van liefde, van ontrouw, van achterdocht en van hardhandigheid. Dat heb jij al gezegd, maar zo is het ook inderdaad. De ouders nemen de beslissing niet verder te gaan, bij elkaar blijven om de kinderen betekent de ene nare scène na de andere afdraaien, daar zit ook niemand op te wachten en ze besluiten tot een scheiding. Maar ze weten allebei drommels goed dat het voor hun kinderen vreselijk is papa of mama uit huis te zien gaan. En daarom vinden wij het allebei goed dat de contacten tussen vader en kinderen en moeder en kinderen blijven bestaan. Geen van die twee mag uit het leven van een kind verdwijnen.' Marieke keek Edwin aan. 'Stel, maak daar even een plaatje van, wij gaan trouwen en alles rondom ons is rozengeur en maneschijn. We krijgen twee kinderen. Jij mag kiezen, wil je een zoon en een dochter? Je knikt ja, een zoon en een dochter is wel leuk. Maar na verloop van tijd zijn we toch op elkaar uitgekeken. Er komen diep verborgen streken naar voren die de één niet van de ander kan accepteren en wij besluiten uit elkaar te gaan. Ik hoop,' ze keek ernstig naar Edwin, alleen een klein lachje, verborgen in haar blauwe ogen, liet zien dat ze met licht plezier naar zijn ernstige gezicht keek, zijn gezicht straalde verbazing uit; wat haalde ze er nu allemaal bij, maar Marieke praatte verder: 'ik hoop dat ik dan zo verstandig ben eraan te denken dat ik eens in jou de volmaakte man heb gezien en dat ik niet zal eisen dat onze kinderen geen contact met jou mogen hebben. En ik vertrouw erop, jij bent tenslotte ook een verstandig mens, dat jij hetzelfde doet. Dan houden onze kinderen hun vader en moeder in hun leven, wat er buitenom ook gebeurt.'

Edwin knikte en grinnikte. 'Ons toekomstplaatje, maar ik hoop dat het zo niet zal aflopen.' Marieke gaf hem een dikke zoen.

'Nee, natuurlijk gebeurt dat niet, wij blijven ons leven lang lief en verdraagzaam voor elkaar.'

Even viel een stilte, toen zei ze: 'Maar wat er in ons gezin gebeurt, is toch heel anders dan waarover we gepraat hebben. Het heeft een andere achtergrond.

Het draait erom dat mijn natuurlijke vader van mij weet en dat ik van mijn natuurlijke vader weet. Wij hebben elkaar in de blauwe ogen gekeken, elkaars stemmen gehoord en nu willen we meer van elkaar weten. We zagen elkaar die middag niet langer dan twee uurtjes. Er is geen sprake van een jarenlange verbondenheid tussen ons en dat telt voor vader Frits mee. Hij kijkt nuchter naar de confrontatie tussen Menno Bouwsma en mij. Man en dochter zijn volkomen vreemden voor elkaar. Nog nooit gezien, nog nooit een woord horen uitspreken. Maar Menno Bouwsma en ik voelen dat er een band tussen ons is.

En, eindelijk, Edwin, ben ik aangekomen bij wat gisteravond als het belangrijkste naar voren is gekomen. Luister goed. Mijn vader verbiedt me contact te zoeken met Menno Bouwsma. Wat ik er nu over zeg komt niet voort uit woorden die vader Frits er gisteravond over naar voren heeft gebracht, maar na goed denken over de hele geschiedenis is mij duidelijk geworden wat in de gedachten van vader Frits leeft. Ik ken hem onderhand een beetje en ik vermoed dat er waarheid zit in wat ik heb vastgesteld. Wanneer Menno Bouwsma contact met mij zoekt, stel dat hij me belt, moet ik onmiddellijk de verbinding verbreken. Want Menno Bouwsma dringt zich binnen in het gezin van Frits de Winter en dat wil Frits de Winter niet. Hij heeft een lieve vrouw en drie leuke kinderen, daar moet niemand een hand naar uitsteken. Want die man, dat weet mijn vader natuurlijk ook, is niet alleen de verwekker van mij, maar hij was daarvoor mijn moeders vriend en ze was dolverliefd op hem. Als ik contact houd met Menno Bouwsma komt het misschien zover dat mama en ik bij een kopje thee op een druilerige middag over hem gaan praten. Mama hield van hem en ik zeg die middag:

Nou, mam, dat begrijp ik heel goed, want het is nog steeds een aardige vent!

Ja kind, zegt mijn mama dan, we hebben heerlijke dagen met elkaar doorgebracht, tot die nare avond, dat had niet mogen gebeuren, maar het is wel gebeurd en ik ben altijd blij met jou geweest. Vader Frits vraagt zich af wat er uit dergelijke gesprekken kan voortkomen en, geef toe, helemaal onzinnig gedacht is het van mijn papa ook weer niet.' Marieke lachte een ondeugend lachje, ze zei: 'Een afspraakje koffie te drinken in een leuk restaurant, Menno Bouwsma, mijn moeder en ik...'

'Het is in principe allemaal mogelijk, maar Marieke, misschien kijkt jouw vader zo ver de toekomst in en als dat zo is heeft hij niet het volle vertrouwen in je moeder, maar waar het voor jou in de aller-eerste plaats om gaat is dat jij je biologische vader wilt zien en met hem wilt praten. Dat is jouw verlangen, dat nu voor ons ligt. En het is een heel begrijpelijk verlangen. Daaraan moet je vasthouden. Niet met je vader meedenken wat in de toekomst kan gebeuren. Dat is naar de sterren kijken en jouw belangen van nu daarvoor opzij schuiven. Dat mag niet gebeuren. Je bent achttien, je weet hoe belangrijk dit voor jou is, ik vind het verschrikkelijk dat je vader je het contact met Menno Bouwsma verbiedt.'

Een klopje op de deur, mevrouw Winkelaar stapte binnen, een groot blad in haar handen. 'Ik heb warme chocolademelk voor jul-lie gemaakt en ook een paar plakjes cake meegenomen. Hoe ver-loopt het gesprek?'

Marieke lachte naar haar. 'Edwin en ik krijgen over dit onderwerp geen ruzie. Wij zijn het met elkaar eens dat vader Frits me niet mag verbieden mijn echte vader te ontmoeten.' Zo vatte ze het hele pro-bleem in een paar woorden samen.

'Maar je vader verbiedt je dat wel, kind, Marieke, dat is toch vrese-lijk?'

'Ja. En ik weet niet wat ik moet doen.'

'Ik ken de achtergronden en de details van alles wat meespeelt niet, maar ik begrijp dat het belangrijk voor jou is om je biologische vader na zoveel jaren te ontmoeten en te leren kennen. Wat er ook in het verleden heeft meegespeeld. Jij moet nu de beslissing nemen die jij wilt. Ik ken vader De Winter niet, maar als het een man is die dikwijls zijn wil probeert door te drijven, is het nu goed daaraan niet mee te werken Ook niet om de lieve vrede thuis. Het zijn harde woorden, maar jij hebt in dit geval het recht je biologische vader te ontmoeten.'

Mevrouw Winkelaar was op het bed van Edwin gaan zitten en het gesprek tussen hun drietjes ging verder. Af en toe nam Marieke een slokje van de chocolademelk, het gaf haar een goed gevoel te weten dat mevrouw Winkelaar achter haar mening stond.

Toen het naar zes uur liep stond mevrouw Winkelaar op. 'Ik keer terug naar de werkelijkheid voor mij van elke dag: de huisvrouw die in de keuken het avondmaal moet bereiden... En jij moet je in de eerste plaats vastklemmen aan de waarheid voor jou in deze geschiedenis. We kunnen er nog uren over praten, de feiten blijven hetzelfde. Marieke, ik besef heel goed dat ik, wat ik nu ga zeggen, beslist niet mag zeggen, maar ik sta volledig achter mijn woorden. Als je vader blijft vasthouden aan zijn verbod en jij besluit het huis uit te gaan omdat de sfeer onhoudbaar wordt, het zal een verschrikkelijk moeilijke stap zijn, maar mogelijk is die stap nodig om je vader duidelijk te maken dat wat hij van jou eist niet van jou geëist mag worden, door niemand, ook niet door hem. Kind, als het zover komt ben je hier welkom. Als je vader dit onrechtvaardige bevel volhoudt, staat de deur voor jou open. En het feit of je wel of niet het vriendinnetje van Edwin bent staat daarbuiten. Hier is een plek waar je naartoe kunt gaan.'

Marieke en Edwin keken haar verbaasd aan.

'Ik zie jullie verbazing, maar ik meen mijn woorden één voor één. Ik denk aan jou, Marieke, maar ik denk ook aan die man, die eindelijk weet van zijn dochter. Hij is dolblij met haar, maar hij mag haar niet zien omdat een andere man...' mevrouw Winkelaar schudde haar hoofd, 'dit mag niet gebeuren. Marieke, je kunt op ons rekenen.'

Edwin fietste mee tot vlakbij het huis aan de Buitenkade. 'Lieveling, ik wens je sterkte, ik denk steeds aan je, ik hoop dat het je kracht geeft...'

Ze liep om het huis heen, zette de fiets in de garage en stapte binnen. Er heerste een bedrijvige drukte in de keuken. Mama roerde in een grote pan, Ineke zwierde een tafellaken over de tafel. Zodra ze Marieke zag praatte ze met een hoog stemmetje: 'Daar is mijn zus. Sinds zij het bewijs afgestudeerd te zijn, hoe klinkt dat, aan de muur heeft geprikt verbeeldt ze zich dat zij niet langer geschikt is voor het doen van simpele, onnozele huishoudelijke werkjes. Borden op tafel zetten en er vorken, messen en lepels naast neerleggen en...' Ineke pruttelde door alsof ze in haar eentje een schetsje opvoerde, Marieke haalde haar schouders erbij op. Mama vroeg: 'Hebben jullie fijn gefietst, het was er uitgezocht weer voor,' en Thomas probeerde een melodie te ontlokken door met twee vorken op een deksel te slaan. 'Het lijkt hier wel een gekkenhuis,' merkte Marieke op, 'ik ga naar de kamer.'

'Zie je,' joelde Ineke, ze was niet boos, ze had plezier in haar toneelstukje, 'daar gaat de freule...'

Tegen het einde van de maaltijd vroeg haar vader: 'Wat doe jij vanavond, Marieke?' Zijn stem klonk vriendelijk.

'Ik heb afgesproken met Hanneke en Liza mee te gaan naar iets wat op een try-out lijkt van een toneelgroepje. De zus van Hanneke speelt daarin mee. Het is in de eerste plaats een bijzonder verhaal op de planken brengen. Normale mensen zoals Hanneke, Liza en ik, zullen het moeilijk kunnen volgen, is de voorspelling. We hebben vorig jaar ook zoiets gezien; het is experimenteel toneel. De groep wil kijken of het voor het grote publiek geschikt is. Wij hebben onze uitslag al klaar: nee, dat is het niet.' Marieke lachte bij haar woorden naar haar vader, 'maar wij offeren een avond op om de zus van onze vriendin een plezier te doen.'

Frits de Winter knikte.

'Je denkt nog wel aan wat ik je gezegd heb?' Een lachje erbij, Marieke dacht bij zijn woorden: je bent een wolf in schaapskleren... De volgende morgen fietste ze naar het huis van de familie Winkelaar. Het papiertje met het telefoonnummer van Menno Bouwsma in haar jaszak.

'Jij hebt telefoon op je kamer,' zei ze tegen Edwin, 'ik wil Menno Bouwsma bellen, dat kan ik niet vanuit ons huis doen, dat begrijp je. Mama houdt me in de gaten.'

Ze draaide het nummer en hoorde even later de donkere stem van Menno Bouwsma.

'Meneer Bouwsma, ik ben Marieke de Winter. Ik wil u ontmoeten en met u praten.'

'Mijn meisje,' zijn stem klonk bijna juichend, 'ik ben hier blij mee! Ik wachtte eerlijk gezegd op een belletje van jou. Ik kan geen contact met je zoeken, omdat ik weet hoe fel je vader tegenover een ontmoeting tussen ons gekant is. Is hij veranderd van mening?'

'Nee, nee, dat zeker niet. Hij heeft me verboden u te bellen.'

'En je doet het toch, ongehoorzaam kind! Lieve schat, ik begrijp je vader niet. Het is toch een verstandige man. Hoe kan hij een dochter verbieden haar natuurlijke vader te bellen?! Hij wil mij niet als jouw vader zien, hij is jouw vader, ik ben een tot grote kerel gegroeide man die in zijn jonge jaren een ondeugende jongen was die met zijn vrouw heeft gevrijd. Maar terug naar jouw voorstel. Ik laat vanmiddag een paar uur mijn werk in de steek om jou te ontmoeten. Ik ben blij met deze afspraak. Heb jij er al een plekje voor in gedachten?'

'Ja. De Pijpenla in de Vlierboomstraat. Het is een smal, diep pandje, maar je zit er wel gezellig en rustig. We doken er met onze groep van het Erasmus af en toe binnen.'

'Goed, ik zal er zijn. Om drie uur, een goede tijd?'

'Ja, dat is een goede tijd.'

Ze legde de hoorn terug op het toestel.

'Mooi geregeld, meisje,' zei Edwin, 'ik wil graag met je meegaan om die vader te zien, maar het is beter dat jullie met z'n tweetjes aan een tafeltje schuiven.'

Die middag zat Marieke tegenover Menno Bouwsma in de wat duistere, smalle zaal.

'Ik vertel u over de toestanden thuis.'

Menno Bouwsma luisterde.

'Edwin weet natuurlijk van de hele geschiedenis en ik heb hem gezegd dat hij er met zijn ouders over mag praten. Want het is absoluut geen geheim. Zijn ouders zijn ook van mening dat mijn vader mij niet mag verbieden mijn natuurlijke vader te ontmoeten.' Ze keek hem aan met een lachje in haar ogen: 'Zo omschrijft mijn oma u. Toen ze dat zei dacht ik: ja, samen bloot in bed, daar komt die omschrijving vandaan, mal hè, dat te denken?' De lach gleed weg van haar gezicht, 'mevrouw en meneer Winkelaar vinden het normaal dat ik u wil ontmoeten. Daarnaast begrijpen ze wel wat er voor vader Frits aan verbonden is. Hij wil niet dat een vreemde man in zijn gezin binnendringt. Maar in de omstandigheden van de trouwdag van mijn vader en moeder zat het erin dat het eens kon gebeuren. En nu is het zover. Nu verbiedt hij mij u te bellen. Het is op het ogenblik zo heftig, dat papa belt naar de ouders van mijn vriendinnen, waar ik gezegd heb heen te gaan, om te horen of ik daar werkelijk ben. Hij wil weten waar ik ben. Hij vertrouwt de ouders van

Edwin niet, die spelen mijn spelletje mee. Ik voel me opgejaagd en onrustig. Gistermiddag praatten Edwin, zijn moeder en ik erover. Het is een verhaal waarover we niet uitgepraat raken, maar er komen vaak dezelfde opmerkingen voorbij en dat maakt het niet interessanter! Mevrouw Winkelaar vindt dat ik moet volhouden. Ze voegde daaraan toe dat ik, als het me thuis te heet onder de voeten wordt, naar hen kan toekomen en in hun huis dan tijdelijk onderdak kan vinden.

Vader Frits is onder normale omstandigheden een rustige man. Zo kende ik hem tot nu toe, een lieve, aardige papa. Maar nu dit hem dwarszit kan hij behoorlijk tekeergaan. Hij is dan in mijn ogen een beetje door het dolle heen. Hij kan zich niet beheersen. Hij wil vasthouden aan zoals het in ons gezin was, maar dat is door de ontmoeting volkomen onmogelijk geworden.'

'Marieke,' Menno Bouwsma boog zich naar haar toe en keek haar recht aan. 'Je vader reageert te heftig en je moeder helpt je niet echt. Waarschijnlijk doet ze dat uit angst voor haar man. Ze zal er ook van overtuigd zijn dat het leven voor het gezin De Winter rustiger verloopt als wij elkaar loslaten. Ze verwacht dat het gaat gebeuren als haar Frits pressie op jou blijft uitoefenen. Als dat lang genoeg duurt vraag jij je waarschijnlijk af: is al deze drukte doormaken het me waard mijn doel te bereiken... Als jij je van mij losmaakt moet ik me van jou losmaken en keren de rustige dagen voor Frits de Winter weer terug. Hij lacht dan in zijn vuistje. Hij heeft het goed aangepakt en hij heeft gewonnen. Marieke is weer binnen de veilige muren van zijn huis. Marieke heeft Menno Bouwsma niet nodig. Maar, dochter van me, wij blijven wel aan elkaar denken en naar elkaar verlangen. Door zijn volhouden wordt de band vernietigd. Als jij dit niet wilt voorspel ik je, lieve kind, hoe het waarschijnlijk zal gaan. Jij gaat na nog veel nare en boze woorden het huis uit. Je kunt naar het gezin Winkelaar trekken, je kunt ook kiezen voor het

huis van de man die je echte vader is, de man die alles heeft veroorzaakt en dat ben ik. Je komt tijdelijk bij Suzanne en mij wonen. Ik zeg met opzet 'tijdelijk', want meisje, ik heb door de loop van de jaren veel mensenkennis opgedaan. Ik ben geïnteresseerd in mensen en ik heb me een beeld gevormd van Frits de Winter. En met die gegevens kom ik tot het volgende plaatje. Als jij thuis blijft houdt vader Frits tot het uiterste vol en dat zal voor jou geen prettige tijd zijn. Voor mij trouwens ook niet. Want dan berusten we in het onvermijdelijke. Maar als jij het huis verlaat weet hij dat hij verloren heeft en dan neemt hij stappen om te herstellen wat in zijn manier van de zaak aanpakken, faalde. Want hij wil jou niet uit het leven van Liz zien verdwijnen en hij wil je zelf ook niet missen. Dan wordt er een compromis gesloten tussen de mensen die bij dit hele gedoe betrokken zijn. We weten alle vier dat er een omgangsvorm gevonden kan worden die contacten tussen ons mogelijk maakt, ons bij elkaar houdt. Het gaat er nu om of jij, want jij speelt de hoofdrol in dit moeilijke verhaal, of jij wilt volhouden aan zoals je er nu over denkt. Mij in je leven opnemen of vader Frits gehoorzamen en mij vragen je niet meer te benaderen. Ik zal dat dan ook niet meer doen. Maar het zal me veel pijn kosten, mijn dochter.'
'Kort na de dinsdagmiddag van de eerste ontmoeting had ik de overtuiging dat het op een rustige manier opgelost kon worden. Verstandige mensen; er moet een weg zijn... Edwin en ik hebben in dit verband gesproken over de kinderen van echtelieden die hun huwelijk hebben ontbonden, maar waarvan de kinderen nog steeds de ouder ontmoeten die niet meer in het huis woont. Een weekendje naar papa of een weekje naar mama. Het is niet ideaal, dat beseffen de ouders ook, maar als het niet anders kan is dit contact houden belangrijk voor de kinderen en de ouders. En nu mijn geval, ik ben achttien, geen kind meer, er moet toch een oplossing zijn?'

'Die oplossing komt er ook, maar niet als jij toegeeft aan de wil van vader Frits.'

Marieke liet zich wat onderuit zakken op de stoel. Ze was moe, er was zoveel om over te denken. Welke beslissing moest ze nemen? Maar welke beslissing ze ook nam, weggaan uit huis of blijven met een heersende vader, het zou in allebei de gevallen moeilijk worden. 'Het is moeilijk,' zei ze daarom ook, 'ik wil mijn vader echt geen verdriet doen en mijn moeder nog minder, dat begrijpt u wel, maar ik heb u ontmoet en ik wil u leren kennen. Je biologische vader is een belangrijke man in je leven, ja toch? Er zijn waarschijnlijk eigenschappen van u in mij terug te vinden. Dit nuchtere redeneren,' ze lachte opeens bijna luid, 'de manier van praten van deze middag, we zijn allebei overtuigd van ons gelijk, is dat een eigenschap van de Bouwsma-familie of hebben alle families dit in zich? Ook de dochter van de De Winters...' Ze zweeg na deze woorden even. Menno Bouwsma glimlachte naar haar, leuk meisje, zijn kind, zijn dochter, toen vroeg ze: 'Wilt u hierover met uw vrouw praten? Als ik het huis uitga kom ik liever naar uw vrouw en u toe, schuilen in het hol van de leeuw, zoals mijn vader het zal voelen, dan dat ik de familie Winkelaar lastigval. Het zijn lieve mensen en met Edwin als mijn vriend zit ik daar goed, maar ik zoek de oplossing liever in het circuit waarin deze affaire zich afspeelt. Maar, meneer Bouwsma...'

Hij legde zijn hand op haar hand. 'Lieve kind, noem me bij mijn voornaam, Menno. Je hebt er de leeftijd voor. Misschien komt ooit voor mij de dag door jou 'papa' genoemd te worden. Denk over alles de komende dagen na. Als het thuis niet meer gaat bel je mij of Suzanne. Ook Suzanne zal je met open armen ontvangen.'

Menno rekende af met de ober en achter elkaar liepen ze naar de uitgang. Menno had zijn hand op haar schouder gelegd. Voor het restaurantje praatten ze nog even, toen liep Marieke naar haar fiets, reed hem over het trottoir naar de rijweg, ze stapte op en fietste de Vlierboomstraat uit. Menno keek haar na. Toen ze tussen auto's en fietsers was verdwenen keerde hij zich om en liep langzaam naar het parkeerterrein waar zijn auto stond. Een grote, stevige man met een hoofd vol gedachten. Hij knipte op de afstandsbediening, opende het portier en stapte in. Maar hij reed niet weg. In zijn gedachten kwam de middag van 'de ontmoeting' terug en hij wist weer alle verlangens die toen door zijn hoofd dansten. Hij had Lizzy gezien en gedurende hun praten was het weten in hem weer opgeborreld dat zij nog altijd zijn grote liefde was. Het was een weten van achttien jaar geleden en het bleef in hem wonen, maar soms had hij zich afgevraagd of het van een zeker weten, door de tijd geworden was tot een illusie, een droom die hij wilde koesteren. Maar die dinsdagmiddag, terwijl hij naar haar keek en naar haar luisterde, was het verlangen haar weer bij zich te hebben teruggekomen. Ze hoorde bij hem. Lizzy en hij moesten bij elkaar zijn. Suzanne was die middag niet in zijn gedachten geweest. Ze was ver weg, in de woonkamer van hun huis aan het Herremansplantsoen. Zijn leven van de dagen voor deze middag had hem losgelaten, want het verleden was terug. Lizzy zat in de kamer tegenover hem en alleen zij telde voor hem, zijn Lizzy, zijn grote liefde... Toen ze praatte over een zwangerschap gleed alles wat tot dat moment waarheid en blijheid om dit ontmoeten was geweest weg uit zijn denken. Alleen dat ene woord bleef doordrammen, zwangerschap. Maar mijn hemel, dat kon toch niet, dat was toch onmogelijk? Maar ze praatte verder, ze sprak haar woorden op een bijna zakelijke toon uit, alsof ze ze had ingestudeerd ze hem op deze wijze te zeggen. Ja, zo was het ook, ze had deze zinnen uit haar hoofd geleerd en ze deelde hem iets mee op een vlakke, bijna beheerste toon. Ze had gezegd dat ze een kind van hem had, een dochter... Hij herinnerde zich nog dat hij luid had geroepen: 'Mijn hemel, Liz, waarom vertelde je me dat niet...' en toen kwam haar antwoord dat ze na dat weekend had vastgesteld dat hij haar min of meer had verkracht... Maar hij wist die nacht nog, het was ook voor hem een grote gebeurtenis geweest. Hij had het gedaan maar het had niet gemogen, maar hij wist elk moment en hij had die middag in haar woonkamer in het huis aan de Buitenkade geroepen dat wat zij zei niet waar was. Ze had naar hem gelachen, een lief, bedeesd lachje, toen hij haar in zijn armen naar de slaapkamer droeg...

Menno Bouwsma legde zijn handen op het stuur. Zo was de middag van het ontmoeten geweest en vanaf de avond, na het vertellen aan Suzanne en haar verbazing en verwondering groeide in hem het wilde verlangen het tot een plan te maken Lizzy en zijn dochter naar zich toe te halen, want ze hoorden bij hem. Hij was de man van Lizzy en de vader van het kind, maar nadat de wilde storm in zijn hart en in zijn brein in de weken daarna enigszins tot rust was gekomen, wist hij dat de mogelijkheden het te bereiken klein waren. Hij was een vechter en een volhouder en hij had er veel voor over dit alles naar zich toe te trekken, zijn leven zou een paradijsje worden, maar er waren omstandigheden die het onmogelijk maakten. Maar zijn verlangen bleef. Lizzy had tweemaal een afspraak met hem gemaakt. Ze zaten tegenover elkaar in De Witte Lelie. Frits de Winter wist er niets van. Het waren fijne gesprekken geweest; uiterlijk bleef de afstand tussen hen die ze beiden wilden bewaren, maar innerlijk was die afstand nu en dan weggevallen en hij had geweten: het kan... het kan... En nu, deze middag, zat zijn dochter tegenover hem. Het dikke, donkerblonde haar in golven om haar hoofdje, een klein, echt krulletje bij het rechteroor, de blauwe ogen, de mond, kleiner dan zijn mond, gelukkig maar, dit was een meisjesmond en hij had naar haar stem geluisterd, een lichte, heldere stem. Ze vertelde dat haar wettige vader eiste dat ze geen contact legde met hem, maar Marieke, zijn dochter, toch een Bouwsma, wilde hem leren kennen en ze vertrouwde hem toe dat ze het huis wilde verlaten als haar vader haar op het pad naar hem in de weg stond... Zijn dochter, ze was echt zijn dochter. Geen stap opzij doen als iemand de weg versperde naar iets wat ze graag wilde en zij wilde hem leren kennen...

Hij moest naar huis gaan en dit aan Suzanne vertellen.

9

NADAT MARIEKE NAAR HET EINDE VAN DE VLIERBOOMSTRAAT WAS gefietst draaide ze niet linksaf in richting van de Buitenkade, maar koos voor de singel en via een paar straten waarvan ze de namen niet wist, kwam ze in de Beukenlaan. Bij huisnummer vierentachtig stapte ze af en zette haar fiets tegen de voorgevel. Hier woonde de familie Winkelaar. Ze liep om het huis heen naar de achterdeur. Edwin kwam haar tegemoet.

'Marieke, hoe is het gegaan? Je hebt rode wangen van de spanning!' Ze liep voor hem uit naar de woonkamer. 'Ja, dat heb je goed gezien. Ik ben heel erg gespannen, want ik weet niet wat ik moet doen! Ik heb met Menno gepraat. Hij stelde voor hem Menno te noemen. In de eerste plaats omdat hij mij daar groot en oud genoeg voor vindt,' ze grijnsde toch even naar hem, 'en in de tweede plaats omdat hij denkt dat ik in de war raak met twee vaders. En steeds vader Frits en vader Menno zeggen is ook een vermoeiende bezigheid. We hebben gepraat en ik heb opnieuw het feit op tafel gelegd dat mijn vader me verbiedt contact met Menno te hebben. Hij knikte, want dat wist hij al. Daarna kwam ik met het plan voor korte tijd uit huis te gaan om mijn vader op die manier duidelijk te maken dat het me ernst is Menno te leren kennen. Menno en ik waren het erover eens, dat weet je intussen, dat mijn vader me niet mag verbieden hem te ontmoeten. Ik ben geen klein kind, ik ben achttien. En Menno is mijn vader.'

Ze was intussen op de bank gaan zitten en Edwin schoof naast haar. Ze vertelde verder: 'Jij hebt Menno nog niet gezien. Het is een grote man met een open, vriendelijk gezicht. Ik had vanmiddag af en toe het gevoel dat ik wist wat hij dacht. Maar nu ik dit zeg weet ik dat zijn denken vrij logisch geweest moet zijn, geen bijzondere gave van mij dus. Na mijn praten over het vluchtplannetje was het logisch dat hij daarop inging. Menno knikte instemmend. Hij dacht: dappere meid om het zo fors aan te pakken. Ik voegde eraan toe dat jouw ouders het in deze geschiedenis met jou en mij eens zijn, ze vinden ook dat ik de vrijheid moet hebben met hem om te gaan. En ik vertelde er meteen achteraan dat jouw moeder heeft gezegd dat ik in die periode bij jullie kan wonen.' Ze zweeg even, toen zei ze op een andere toon, er was meer moeite in verborgen: 'Het lijkt misschien of ik deze woorden heel gemakkelijk kan uitspreken, maar dat is beslist niet zo. Nu ik erover nadenk zal het toch moeilijk zijn het besluit te nemen. Het is niet prettig uit huis weg te gaan. Ik wil beslist geen ruzie met mijn vader en moeder, maar ik wil wel dat ze me de vrijheid geven in dit te doen wat ik wil. Zoals het er nu voorstaat geven ze beslist niet toe en dan blijven er twee mogelijkheden over. Er in berusten en mijn echte vader, die kortgeleden mijn leven binnenstapte, er weer uit laten verdwijnen. Dag vader, dag dochter... Of mijn zin doordrijven omdat ik weet dat ik in mijn recht sta en dan, als maatregel, een poosje uit huis gaan. Maar het is geen eenvoudige beslissing.'

'Schatje,' Edwin voegde een zucht aan dat lieve woordje toe, 'het is inderdaad geen gemakkelijke beslissing. Maar je hebt geen keus als je niet wilt opgeven.'

Ze praten erover door. Marieke hing vermoeid tegen hem aan. Wat moest ze doen? Waartoe moest ze besluiten...

Mevrouw Winkelaar kwam thuis. Twee tassen boodschappen werden op de keukenvloer gezet en een paar dozen op de keukentafel. Ze liep de kamer binnen, maakte de knopen van het korte manteltje los en ze vroeg: 'Marieke, meisje, Edwin vertelde me dat je vanmiddag je biologische vader ging ontmoeten. Hoe is het afgelopen, lieve kind?'

Weer het verhaal. Nu vertelde Marieke erbij dat Menno Bouwsma haar had voorgesteld in de uit-huis-periode naar de woning van hem en zijn vrouw te komen. Tenslotte speelde hij een belangrijke rol in dit hele gebeuren.

Maar Marije Winkelaar reageerde: 'Zou dat een verstandig besluit zijn, Marieke? Kan zo'n stap niet te moeilijk zijn voor je ouders om te aanvaarden? Als je naar ons huis komt zien ze het waarschijnlijk als een noodsprong van jou omdat er geen andere oplossing is, maar naar het huis gaan van je biologische vader en zijn vrouw zie ik als een stap te ver... Misschien schakelen ze de politie in om je terug te halen, denken ze dat Menno Bouwsma je te veel in zijn macht heeft... Ik noem een voorbeeld, onmogelijk is het niet. Naar hem toegaan geeft je ouders mogelijk het gevoel dat je totaal in de macht van Bouwsma bent. Maar je bent vrij om te doen wat jou het beste lijkt. In mijn denken is die man nog een vreemde voor je, ondanks wat vroeger is gebeurd, maar jij voelt je tot hem aangetrokken. Jullie zijn tenslotte vader en dochter.'

'Ik vind het zielig voor mijn moeder, want ik weet dat zij mijn verlangen contact te hebben met Menno begrijpt. Ik weet zelfs dat zij zich nog altijd een beetje tot Menno Bouwsma aangetrokken voelt. Dat zal ze tegen vader Frits niet toegeven. Het is ook beter dat niet te doen. Maar ik vind dat mama mij toch wel een beetje had kunnen steunen in mijn wil hem te ontmoeten. Maar mama steunt me niet, ze houdt zich op de vlakte. Ze blijft naast papa staan en hij houdt alleen de leuze voor ogen 'Weg met Menno Bouwsma!' en hij denkt dat de volhouder wint!'

Marieke barstte in snikken uit. Edwin sloeg zijn arm om haar heen, hield haar tegen zich aan: 'Het is een moeilijke en nare geschiedenis. Nuchter gesproken is er niemand die je raad kan geven, want niemand kent de afloop. Als je thuisblijft en er gaan weken van zeuren en praten en overleggen voorbij en je vader geeft uiteindelijk toe dat jij Menno Bouwsma mag ontmoeten, dan heb jij gewonnen. Maar je vader is een man die vertrouwen heeft in zijn eigen standpunten en hij volgt zijn eigen weg. Niet ombuigen, vooruitkijken en volhouden. Het is voor mijn moeder en ook voor mij moeilijk je raad te geven.'

'Ik wil papa en mama niet missen, dat snappen jullie wel, maar nu Menno Bouwsma in mijn leven is opgedoken en ik overeenkomsten tussen hem en mij zie, wil ik hem leren kennen. Is dat nou zo'n onmogelijk verlangen? Ik wil naar hem kijken en met hem praten en als ik dat voor ogen houd is er maar één mogelijkheid: weggaan bij mijn ouders omdat ze me dat niet willen toestaan. En als ik uit hun huis ga wil ik naar Menno Bouwsma.'

Marije Winkelaar keek naar Marieke. Lieve kind, dacht ze, wat is dit een moeilijke beslissing voor je. Je bent nog jong, achttien jaar, je hebt nog geen zorgen in je leven meegemaakt, de man die jouw echte vader is trekt je aan en iedereen begrijpt dat, wat moet je kiezen...

Ze zei: 'Je hebt met deze woorden de beslissing genomen en het is een fors besluit, maar je moet er niet van uitgaan dat deze beslissing zo ver strekt dat hij bepalend zal zijn voor je verdere leven. Ik bedoel dat het beslist niet zo is dat je na de dag waarop je weggaat met een tas vol kleren en spulletjes op je fiets, je je ouders nooit meer zult zien. Nee, dit lost zich heus wel op. Mijn vader zei vroeger in een situatie als deze: "Het kan kort duren, het kan lang duren, maar er komt een eind aan." Dan dacht ik, man, wat meier je nou, maar in veel gevallen had hij gelijk. Uiteindelijk willen je ouders jou niet kwijt, in elk geval je moeder niet, hoewel ik na alles wat ik over hem heb gehoord niet twijfel aan de liefde van Frits de Winter voor jou. Er zal een oplossing komen, maar de vraag is wie zijn einddoel bereikt.'

Marieke hikte en snoof, ze veegde met een zakdoekje de tranen van haar wangen, ze zei vastberaden: 'Maar ik houd vol.'

In de avond nam ze haar grote sporttas, die onder in de kast op de overloop stond, mee naar haar kamer en vulde hem met ondergoed, kleding, toiletartikelen en dingen die ze, nog even een aarzeling, áls ze echt de stap nam, wilde meenemen. Ze sliep die nacht vrijwel niet. De hele geschiedenis bleef in haar hoofd tollen, steeds weer hetzelfde onderwerp waarvan ze de uitslag al wist: ik ga naar Menno Bouwsma en zijn vrouw Suzanne... Ik houd vol. Menno is mijn echte vader en ik heb het recht hem te kennen...

De volgende morgen bleef ze thuis. Ze kwam laat naar de keuken voor het ontbijt. Mama vroeg of ze lekker had uitgeslapen. Nou nee, dat niet,' maar ze antwoordde: 'Ja, heerlijk...' Daarna dronken ze samen koffie, praatten over simpele onderwerpen, het onderwerp angstvallig vermijdend en tegen twaalf uur vroeg Lizzy vriendelijk belangstellend: 'Wat ga jij vanmiddag doen?'

'Ik ga naar Edwin. We hebben nog geen plannen voor de middag. Het hangt vooral van het weer af. Maar zoals het er nu uit ziet wordt het een prachtige dag. We kunnen weer op de fiets stappen, maar eigenlijk heb ik meer zin om te gaan winkelen. Het is gezellig winkelen met Edwin. Hij heeft interesse in veel artikelen, ook al staan ze niet op ons verlanglijstje om ze te kopen.'

Liz de Winter knikte. 'Ik ga vanmiddag een paar uurtjes naar tante Margriet. Ik ben weer thuis als Ineke en Thomas rond kwart over vier uit school komen. Niet dat ze zich niet kunnen redden, ze weten waar we de sleutel van de achterdeur verstoppen en het zijn geen kinderen die het halve huis afbreken als papa of mama er niet zijn. Maar ik ga op tijd naar Margriet en ik ben ook op tijd weer terug. Dan hoor ik wel,' ze lachte naar Marieke, het ging goed, geen woord over Menno Bouwsma, 'wat jullie hebben gedaan en dan zien we elkaar weer.'

Zodra haar moeder op weg was naar de tramhalte draaide Marieke het nummer van de Bouwsma's. Een vriendelijke stem meldde zich met: 'Suzanne' en Marieke begon met een bijna dichtgeknepen keel van spanning aan de zinnen die ze, vannacht, in het donker van de slaapkamer uit haar hoofd had geleerd: 'Mevrouw Bouwsma, ik ben Marieke. U weet van mij en u weet wat ik met uw man heb afgesproken. Ik kan niet langer thuisblijven, ik kom naar uw huis toe. U weet toch van de afspraak tussen uw man en mij?' Opeens was er angst, stel dat Menno... Maar de stem antwoordde: 'Ja, lieve kind, ik ken de geschiedenis. Menno en ik hebben geen geheimen voor elkaar. Ik wacht op je...'

Marieke ging naar haar kamer en pakte het blaadje uit de brievenstandaard dat ze had geschreven voor haar ouders.

Mam, ik houd van je en dat zal altijd zo blijven. Het is me tegengevallen dat je niet begrijpt dat ik Menno Bouwsma wil leren kennen. Pap, ik houd van je en dat zal zo blijven, maar ik wil mijn biologische vader leren kennen.

Ik handel tegen jouw verbod in en daarom is het beter dat ik het huis uitga. Op de dag waarop jullie begrijpen dat ik dit wil ligt de weg open elkaar weer te ontmoeten. Maar ik houd Menno Bouwsma in mijn leven, op welke manier dan ook. Haal geen onwijze en zotte toestanden aan de hand, ik ben achttien, geen kind meer. Ik weet wat ik wil en zo ernstig is de hele geschiedenis niet als je er goed en nuchter over nadenkt. Tussen ons is er alleen verschil van inzicht over.

Ze zette haar naam eronder: Marieke...

Het briefje bleef op haar schrijftafeltje liggen.

Ze nam de tas op en zeulde hem de trap af. Door de gang, door de woonkamer, de keuken en de bijkeuken, naar de bergplaats waar haar fiets stond. Ze bond hem stevig vast op de bagagedrager. Stel je voor dat het ding kantelde en de inhoud over de straat rolde... Ze reed de fiets naar buiten, draaide met de sleutel de keukendeur op slot, stopte de sleutel in de zak van haar jack, stapte op de fiets en reed door de drukke straten naar het Herremansplantsoen.

Suzanne Bouwsma stond achter het grote voorraam op haar te wachten. Een vrouw van rond de veertig met kortgeknipt, donkerrood haar en grijze ogen in een vriendelijk gezicht. Ze opende de deur voor Marieke.

'Kind, meisje, Marieke, kom binnen.' De woorden vielen haar moeilijk, Suzanne sloeg licht haar armen om Marieke heen, 'ik ben heel emotioneel, dat merk je wel, vergeef me, laat me maar even, voor jou is dit ook een emotioneel moment. Maar we komen er beiden doorheen. Dat geloof jij toch ook?' Even was er toch een lachje, maar het was een heel gespannen lachje. 'Het doet me veel je te zien. Je bent het kind van mijn man, maar niet van mij. Maar ik ben heel blij met je.'

Marieke hoorde de woorden onthutst aan. Ze had zich stilletjes afgevraagd hoe de begroeting zou verlopen. Ze durfde er eigenlijk niet over te denken. Stel je voor dat het tegenviel, wat moest ze dan doen... Mevrouw Bouwsma en zij waren tenslotte volkomen vreemden voor elkaar. Maar deze ontvangst had ze niet verwacht.

'Ik... ik...,' hakkelde Marieke, ze wist niet wat ze moest zeggen en wat ze moest doen, 'ik pak eerst mijn tas van de fiets. Stel je voor dat hij gestolen wordt...' Het klonk zo nuchter, ze hoorde het zelf, maar ze wist niet iets anders te zeggen.

In de woonkamer zaten ze tegenover elkaar. Suzanne had voor beiden een glas frisdrank ingeschonken. 'We proberen eerst allebei een klein beetje tot rust te komen, meisje, onze ademhaling wat regelmatig te laten verlopen, diep ademhalen en elkaar aankijken en elkaar begrijpen.' Ze nam het glas in de hand en dronk een paar slokjes.

'Marieke, nadat Menno me vertelde over de houding van je vader in deze toch wonderlijke geschiedenis, heb ik gedacht en gepiekerd hoe moeilijk het voor jou moet zijn hierin de juiste weg te vinden.'

'Ja,' antwoordde Marieke, ze voegde een zucht aan die woorden toe, 'het was zeker heel moeilijk. Want mijn vader Frits is echt een schat van een man, ik houd van hem en ik weet dat hij van mij houdt, ik wilde liever niet tegen zijn verbod ingaan, maar ik kon en kan niet anders.'

'Dat begrijp ik. Je hebt op die inmiddels veelbesproken dinsdagmiddag je echte vader ontmoet. Want de man die jouw moeder heeft bevrucht is je echte vader. Je zult eigenschappen van hem hebben en in elk geval,' ze lachte, 'heb je de uiterlijke kenmerken van de Bouwsma's. Blauwe ogen en krullend haar.'

Na even zwijgen vroeg Suzanne: 'Wil je dat ik Menno bel en hem vertel dat je hiernaartoe bent gekomen?' Maar Marieke antwoordde snel: 'Nee, nee, ik wil liever nog even met u alleen zijn en met u praten. Ik zie er vanbuiten misschien rustig uit, maar ik tril over mijn hele lichaam. Wij kenden elkaar niet, ik kom zo binnenvallen, dat is niet gewoon. Ik wil graag nog met u praten om u een klein beetje beter te leren kennen en voor mezelf om tot rust te komen. Ik hoor hier niet, alles is onbekend, maar er is geen andere weg. Dit moest ik doen. Maar dat neemt niet weg dat het voor ons allebei een wonderlijke, vreemde ervaring is.'

'Dat is zeker zo, maar ik ben ervan overtuigd, Marieke, dat jij en ik met elkaar kunnen opschieten. Je bent in elk geval hartelijk welkom. Ik wil graag meewerken de band tussen Menno en jou te verstevigen. Lieve kind, hij verheugde zich die middag op het zien van Lizzy. Hij wilde met haar herinneringen ophalen aan 'toen'. Er samen om lachen en dan weer naar huis gaan. Hij kon dan een prettige, nieuwe herinnering uit het nu toevoegen aan zijn herinneringen van vroeger. Een leuke middag, maar weer verleden tijd.

Maar Lizzy vertelde over haar zwangerschap en toen hij hoorde dat hij een kind had en nadat hij jou had gezien kon hij niet nuchter meer denken. Dat was niet verwonderlijk, het overviel hem als een donderslag. Nou nee, een toverslag is in dit geval beter gezegd. Hij heeft nooit in deze richting gedacht, maar hij is wel ontzettend blij met je, door alle onthutsing heen. Hij kwam volkomen overstuur thuis. Hij praatte, hij huilde, hij praatte weer, maar ik kon in het begin de woorden niet achter elkaar zetten en eruit opmaken wat er gebeurd was. Maar,' Suzanne lachte naar Marieke, 'misschien heb je intussen ondervonden dat Menno Bouwsma nooit heel lang de goede woorden die hij wil uitspreken kwijt is. Je betekent heel veel voor hem. Wij hoopten dat in ons huwelijk kinderen geboren zouden worden, al was het er maar één, maar jammer genoeg is dat niet gebeurd. Nu heeft Menno een dochter en misschien komt in jou de gedachte op dat ik daarop jaloers zou kunnen zijn, die mogelijkheid bestaat toch, nietwaar, maar dat is beslist niet het geval. Ik houd van Menno en ik gun hem dit geluk en ik weet dat hij mij er in laat delen als dat mogelijk is, als het contact tussen hem en jou blijft. Dat is wat jullie beiden willen. Ik wil dat ook en daarom ben jij hier vanmiddag naartoe gekomen. Maar, Marieke, als alles rustiger is geworden rond de situatie proberen we de banden met jouw ouders te herstellen. Als het verstandige mensen zijn komt dat voor elkaar. De gebeurtenis van deze dag zal grote beroering brengen in het gezin van je ouders. De ontdekking dat jij vertrokken bent en de vraag waarheen... Daar komt waarschijnlijk een heftige woordenwisseling tussen je vader en je moeder uit voort. Ik ken de verhouding tussen hen niet, maar hoe dan ook zal er aandacht besteed worden aan wat jij wilt. Zal ik nu, meisje, een pittig kopje koffie voor ons zetten?'

'Ja, dat lijkt me een goed idee.'

Suzanne Bouwsma stond op. 'Daarna, Marieke, laten we dit onderwerp even rusten. Straks, als Menno thuiskomt, komt het weer op tafel. Dat kan niet missen! Ik bel hem rond vijf uur om hem op de ontmoeting met jou voor te bereiden. Jij vertelt mij intussen over de studie die je gaat volgen, want de gewone dingen van het leven zullen snel weer hun aandacht vragen, hoe het ook gaat lopen... En ik vertel je dat Menno en ik een mooie, lichte, ruime kamer voor je in orde hebben gemaakt, op voorhand, zoals Menno dat noemde. Hij heeft gezegd: "Waarschijnlijk komt mijn dochter nooit in ons huis," maar als ze komt, Suzanne, zullen we heel blij zijn. Ik wil dat dan haar bed klaarstaat, zodat ze kan slapen in een kamer waar ze zich thuisvoelt.' Suzanne boog even naar Marieke toe: 'Niet verklappen dat je het weet, maar hij heeft een prachtige teddybeer voor je gekocht en op het voeteneind van het bed gezet. Ik denk, Marieke, dat hij in die beer zijn gevoelens heeft willen ontladen over de voor hem verloren jaren die hij van jou als kind heeft gemist. Jij als baby, als klein kleutertje en jij als schoolmeisje...'

Marieke glimlachte. Langzaam, heel langzaam voelde ze dat in het voorbije uur de grootste spanning in haar wat wegzakte. Ze had het nog heel moeilijk met de stap die ze genomen had hierheen te gaan. Een vreemde vrouw, maar het was wel een aardige en ook een begrijpende vrouw. Tussen alle woorden door die gesproken werden dacht Marieke aan thuis. Mama was nu terug van het bezoek aan tante Margriet, maar mama zou haar verdwijning nog niet hebben opgemerkt. Dat haar fiets niet in de bergruimte stond was niet iets om verbaasd over te zijn, zij zou toch misschien met Edwin gaan fietsen? Het ontdekken kwam als het tegen etenstijd liep en zij niet thuiskwam... En dan kwam papa thuis... Wat gebeurde er daarna? Mama riep aan de trap dat het tijd voor de maaltijd werd en als er geen antwoord kwam ging ze naar boven om in haar kamer te kijken en dan vond mama het briefje... Ze wilde liever niet denken aan het tumult wat dan zou losbarsten, want losbarsten kon ze het gerust noemen... Ze sprak uit tegenover Suzanne wat haar bezighield en Suzanne begreep haar. Het werd een goed gesprek tussen hen. Marieke voelde zich er prettig bij, voor zover mogelijk was in deze omstandigheden...

Om vijf uur belde Suzanne naar Menno. Nadat hij had opgenomen en zijn naam noemde zei ze, ze sprak de woorden langzaam uit: 'Menno, met mij. We hebben bezoek. Marieke is hier.'

Het bleef even stil aan de andere kant van de lijn, toen kwam zijn stem: 'Marieke... is bij jou? Marieke is in ons huis? Hoe kan dat?'

'We praten er straks over, maar je snapt dat het verband houdt met het feit dat haar vader niet wil dat ze jou ontmoet. Maar Marieke wil jou wel ontmoeten. Kom je op tijd?'

'Ik kom direct. Ik sluit af wat afgesloten moet worden en ik rijd naar huis. Tot zo.'

Een kwartier later stapte hij het huis binnen, liep in een paar passen door de brede gang naar de huiskamer. In de deuropening bleef hij staan. Hij had zich tijdens de rit naar huis afgevraagd hoe hij het kind moest begroeten en hij had zich voorgenomen vooral niet te onstuimig te zijn. Menno Bouwsma, beheers je. Het is een jong meisje en deze vlucht moet bijzonder emotioneel voor haar zijn, overval haar niet. Maar nu hij haar op de bank in hun huiskamer zag zitten spreidde hij zijn armen uit en Marieke stond op en liep naar hem toe. Dikke tranen rolden over haar wangen. Hij hield haar tegen zich aan. 'Mijn dochter, ik had je nooit de naam Marieke gegeven, maar het is een goede keus van je moeder geweest. Het is een lieve, een heel lieve naam...' Wat kan een mens in bijzondere omstandigheden wonderlijke dingen zeggen. Hoe kwam hij hier nu bij? Maar hij had de woorden gezegd en hij had er geen spijt van. Over haar donkerblonde haren heen keek hij naar Suzanne. Ze zag hoe gelukkig hij was, ze lachte naar hem. Hij liet Marieke weer los. 'Het is voor mij een grote verrassing, maar het moet voor jou een moeilijke stap zijn geweest naar Suzanne en mij toe te komen.'

Marieke was teruggegaan naar haar plaatsje op de bank. Ze moest zitten, steun zoeken tegen de leuning. Ze was onzeker. Wat gebeurde hier? Hoe had ze zich de ontmoeting met Menno voorgesteld? Ze had zich er helemaal niets van voorgesteld, er waren te veel andere dingen om over te denken.

Heel langzaam kwam het gesprek in de huiskamer in de woning aan het Herremansplantsoen op gang.

Intussen tikte de grote, ronde klok aan de muur in de keuken van het huis aan de Buitenkade de minuten weg. Frits kon elk moment thuiskomen. Ineke werkte aan de huiskamertafel aan haar huiswerk, Thomas speelde met zijn auto's en Marieke was nog niet thuis. Edwin en zij waren waarschijnlijk de stad ingegaan. Ze wilden winkelen, maar als je eenmaal in het oude centrum ronddwaalde was er zoveel te zien dat je de wijzertjes op je horloge niet goed in de gaten hield... Liz vreesde dat Marieke niet op tijd voor de maaltijd binnen zou zijn. Eergisteren zei ze tegen haar dochter: 'Je hebt je diploma in je zak, dat is mooi, je hoeft niet meer naar school, dat is fijn, maar je moet er wel aan denken dat je niet in volkomen vrijheid tegenover alles en iedereen kunt leven... Alleen doen waar je zin in hebt... Hoera, vrij tot eind augustus of begin september! Dan pas gaan de deuren van de universiteit voor me open! Papa en ik gunnen je deze vrijheid van harte, dat weet je, maar je moet wel rekening houden met de regels van ons huis.' Marieke had daarop gelachen en gezegd: 'Ja, mam, dat zal ik proberen, maar het is zo'n heerlijk gevoel dat ik niets móét doen...' Liz de Winter wist niet dat Marieke op dat moment had gedacht: 'Mijn hemel, wat zeg ik nou...'

Frits kwam thuis. Een lange, slanke man met grijsblauwe ogen en blond haar, een vriendelijk gezicht waarover op dit moment een lieve lach gleed. Hij keek naar zijn vrouw en kuste haar. 'Hallo, mijn meisje, ik ben blij weer thuis te zijn...'

Liz kuste hem. 'We kunnen over tien minuten aan tafel gaan, maar

Marieke is er nog niet. Edwin en zij hadden voor vanmiddag twee plannen gemaakt, of een fietstochtje ondernemen of gaan winkelen rond de Dam. Maar het één of het ander is kennelijk uit de hand gelopen.'

'We wachten het even af.' Frits stapte de huiskamer in. Ineke stak een hand naar hem op, en riep: 'Hoi pap, je verstandige dochter maakt haar huiswerk!'

En Thomas sprong overeind en rende naar Frits toe om hem te vertellen wat er die middag op school was gebeurd. Ze hadden gevoetbald op het grasveld in het plantsoen en toen schopte Dennis zo onhandig...

'We gaan aan tafel,' besliste Lizzy na tien minuten, 'als we wachten verpietert het eten en daar ben ik niet zo druk voor in de weer geweest. We zien wel of Marieke nog iets wil opscheppen als ze thuiskomt.'

Maar Marieke kwam niet thuis en haar ouders werden ongerust.

'We kunnen de familie Winkelaar bellen,' stelde Frits voor. 'Ze is met Edwin op pad geweest, als er iets gebeurd is weten zijn ouders er misschien van.'

'Och nee,' meende Liz, 'wanneer er echt iets aan de hand zou zijn en de Winkelaars zijn daarvan op de hoogte, bellen ze ons direct, daar kunnen we op rekenen. Ik ga even boven kijken of ze een vest of een jasje heeft meegenomen. Als dat zo is waren er plannen om het later te maken.'

In Lizzy was langzaam een bang voorgevoel geslopen. Ze hoopte dat Frits nog niet in die richting dacht, maar zij deed dat wel.

In Mariekes slaapkamer vond ze het briefje. Ze las het. Ze bleef er een paar minuten zwijgend mee in haar handen staan. Ze voelde het wild kloppen van haar hart, lieve kind, Marieke, wat heb je aangehaald en waar ben je naartoe gegaan... Maar Lizzy de Winter wist waar Marieke naartoe was gegaan... De aantrekkingskracht van

Menno Bouwsma op haar en op haar dochter...

Ze kwam met een bleek gezicht van spanning en angst de kamer binnen.

'Wat heb je in je hand?' vroeg Frits.

'Een briefje. Marieke is vertrokken en ze heeft een briefje achtergelaten...'

Hij was al van zijn stoel af gekomen. Liz gaf hem het papiertje in handen en hij las de woorden. Hij keek Lizzy aan. 'Ik vermoed dat ze naar je moeder is gevlucht. Ja, dat zeg ik goed, ze is gevlucht voor die vreselijke vader die haar geen toestemming wil geven dingen te doen die niet goed voor haar zijn!' Hij schreeuwde de woorden door de kamer. Ineke keek met grote ogen naar hem, Thomas vroeg met een verbaasd snoetje: 'Is Marieke weggelopen?' Maar niemand gaf hem antwoord. Frits zei: 'Bel je moeder, dan hebben we zekerheid.'

'Maar als ze daar niet is zijn zij en Hans ook ongerust en bang dat er nare dingen zijn gebeurd. Ze kunnen een ongeluk gehad hebben...'

'Ik denk niet in die richting, Liz. Ze is boos omdat ze die vent niet mag ontmoeten en ze zoekt onderdak om uit te huilen bij mensen die haar daarin volkomen begrijpen en oma Nadine is daar één van. En Hans sluit zich, om de lieve vrede, bij haar aan.'

Lizzy draaide het nummer van haar moeder.

'Mam, is Marieke bij jullie?'

'Marieke bij ons? Nee, Marieke is niet bij ons. Is ze vanmiddag met Edwin op stap geweest en nog niet thuisgekomen? Maar als dat zo is, meisje, moet je je niet direct ongerust maken. Misschien zijn ze samen ergens gaan eten... Hoewel, als dat het plan was had Marieke het je gezegd.'

'Inderdaad. In elk geval bedankt voor je antwoord, mam, en maak je er niet te druk over.'

'Dat kun je gemakkelijk zeggen, maar jij maakt je er ook druk over.'

'Ik bel de ouders van Edwin. Als ik weet waar ze is hoor je het van me. Is Hans al thuis? Doe hem de groeten van me...' En Lizzy legde de hoorn terug.

Frits keek zijn vrouw strak aan. Ze zag in zijn ogen dat hij dezelfde gedachten had als zij, maar hij sprak dat denken nog niet uit. Hij zei: 'Ik bel de familie Winkelaar.'

Hij draaide het nummer en toen werd opgenomen vroeg hij kort: 'Met Frits de Winter; is Marieke bij jullie?'

'Marieke bij ons? Nee, Marieke is niet bij ons. Ze is hier vanmiddag ook niet geweest. Edwin had een afspraak met een vriend, hij is naar Arnold toegegaan en tegen zes uur was hij weer thuis.' Marije Winkelaar voegde er niet aan toe dat ze Edwin zou vragen of hij wist waar Marieke was...

Frits keerde zich naar Lizzy. 'Ik weet waar ze is en jij weet dat ook. Bij Menno Bouwsma. Nu ik over de woorden van het briefje nadenk klinkt dat er al een beetje in door. Ze schrijft dat we geen maatregelen moeten nemen. De politie bellen bijvoorbeeld over de ontvoering van een minderjarig kind...'

'Frits, alsjeblieft, hou het een beetje bij de waarheid! Menno Bouwsma is haar biologische vader, Marieke is achttien en ze is vrijwillig naar hem toegegaan. Maar, los van dit vermoeden, moeten we wel weten of dit de waarheid is. Als waar is wat mevrouw Winkelaar heeft gezegd heeft ze vanmiddag geen fietstocht met Edwin gemaakt, maar is ze alleen op stap gegaan.' Liz wilde tijd rekken om Frits rustiger te laten worden, 'er kan ook iets anders gebeurd zijn.'

'Heb jij het telefoonnummer en het adres van Menno Bouwsma?' Ze zag een donkere blik van stille woede in zijn ogen.

'Nee, maar het zal in het telefoonboek staan.'

Frits pakte het boek dat onder het telefoontafeltje lag. Met handen, die trilden van nervositeit zocht hij het nummer op. Hij schreef het op een kaartje en drukte het Lizzy in de handen. 'Het belangrijkste is op dit moment dat we weten dat er niets ernstigs met het kind is gebeurd,' zei hij, 'dat is nu het voornaamste. Bel jij, hij is tenslotte jouw vriendje van vroeger.'

In de huiskamer aan het Herremansplantsoen rinkelde de telefoon.

'Ik verwacht dat mijn moeder aan de lijn is.' Marieke keek van Suzanne naar Menno, 'mag ik opnemen?'

Ze knikten beiden instemmend.

'Met het huis van de familie Bouwsma,' haar stem klonk, begrijpelijk, heel gespannen...

'Marieke, wat heb je nou gedaan?! We hebben je briefje gevonden, je bent naar mevrouw en meneer Bouwsma gegaan!'

Frits bleef strak naar haar kijken. 'Waarom deed je dit? We hadden toch een andere oplossing kunnen vinden?'

'Nee, een andere oplossing was niet mogelijk. Papa wilde geen andere oplossing. Hij heeft me verboden Menno Bouwsma te ontmoeten, maar ik wil hem wel ontmoeten. En omdat papa bleef volhouden nam ik het besluit hierin mijn eigen weg te kiezen. Dit is belangrijk voor me, mam, dat begrijp jij. En ik zeg er nadrukkelijk bij dat meneer Bouwsma mij niet heeft beïnvloed. Mam, zeg dat ook tegen papa. Ik blijf hier, of ergens anders, tot de beslissing is gevallen die mij de vrijheid geeft te doen wat ik wil in deze geschiedenis.'

Lizzy huilde. Marieke hoorde haar snikken via de lijn. 'Marieke, alsjeblieft, kom zo gauw mogelijk naar huis terug, maak er geen groter drama van dan nodig is. We zullen er opnieuw over praten, papa, jij en ik en dan komen we er wel uit.'

'Daarin geloof ik niet. En ik wil er niet meer met papa over praten. Hij houdt straf vast aan wat hij wil dat er gebeurt en ik houd vast aan wat ik wil. Maar mam, maak je er niet te druk over, jij en ik komen heus weer bij elkaar. Ik wil jou toch niet missen! Ik wil papa ook niet missen, ik houd ondanks dit alles van hem, maar in dit lopen onze wegen te ver uiteen. Er ligt geen mogelijkheid open elkaar op het eindpunt te ontmoeten.' Ze tilde haar hoofd op en keek naar Menno Bouwsma. Ze voelde zich rustiger in dit huis nu hij er was en ondanks alles was er toch een lachje in de blauwe ogen, iets van: hoe heb ik die laatste zin zo mooi kunnen zeggen...

Liz de Winter legde de hoorn terug.

Frits was op de bank gaan zitten. Ineke vroeg: 'Is Marieke naar die man gegaan die toen op een middag hier was? Dat is haar biologische vader. Ja, dat weet ik. Daarover heeft mama me verteld. Maar ik begrijp niet waarom ze met alle geweld met hem wil omgaan...'

'Daarover praten we nog wel eens. Ik bel eerst naar oma en Hans om hen te vertellen wat hier aan de hand is. Daarna bel ik Edwin om te vragen wat hij hiervan weet. En dan,' Lizzy zuchtte diep, 'moeten we erin berusten dat ze in deze kwestie haar eigen weg heeft gekozen, Frits.'

'Ik denk er nog over de politie in te schakelen. Het gaat tenslotte om een minderjarig kind, maar ik ben bang dat, als Marieke als achttienjarige met haar verhaal komt over haar biologische vader, de politiemensen het besluit zullen nemen: los dit maar in de beslotenheid van jullie huiskamer op... En daarin hebben ze deels ook gelijk. Maar, Liz, ik zeg je nu meteen, dan weet je het, dat ik niet van plan ben water bij de wijn te doen. Ik geef niet toe omdat zo'n jonge meid op deze vervelende manier en zo provocerend haar zin doordrijft. Want, en daar gaat het om, dat is het knelpunt, de ondergrond van deze hele gebeurtenis, ik zie nog steeds grote bezwaren voor ons gezin als er contact blijft bestaan tussen die man en Marieke. Door deze malle streek zal er geen verandering in komen.'

Liz belde naar haar moeder en vertelde dat Marieke naar Menno Bouwsma was gegaan.

'Mijn lieverd, Lizzy,' opwinding in de stem aan de andere kant van de lijn, 'dit is een gevaarlijke situatie, dat begrijp jij ook wel. Ik zal zachter praten. Ik weet niet of Frits in de buurt is, maar wij komen direct naar jullie toe. Ik in elk geval. Dit mag niet uit de hand lopen. Frits is een fijne kerel, een lieve man als alle zaken rond hem naar zijn wens verlopen. Wanneer dat niet gebeurt, ik heb het je eerder gezegd en jij weet dat natuurlijk ook, komt zijn ware aard naar voren en dan kan Frits een echte nijdas zijn die zijn prooi vasthoudt. En hij weet niet van opgeven. Ik heb er spijt van dat ik bemiddelde bij het maken van de afspraak tussen Menno en jou. Dat had nooit moeten plaatsvinden. Het is dus deels mijn schuld dat het zo uit de hand is gelopen. Nee, Liz, zeg nu niet dat het niet zo is, het is wel zo. We moeten bepraten hoe dit opgelost kan worden. Maar Frits weet net zo goed als jij en ik dat Menno Bouwsma de ware vader van Marieke is. Ik praat dit even door met Hans, hij heeft nog een afspraak, die moet hij nakomen, maar ik kom naar jullie...'

'Mam,' riep Liz nog, 'dat moet je niet doen. Frits en ik komen hier wel uit...' Maar Nadine van Westen had de hoorn er al opgelegd.

'Mijn moeder komt,' kondigde Liz aan.

'Ja, dat heb ik begrepen,' antwoordde Frits en er zat venijn in zijn woorden.

Liz belde Edwin Winkelaar.

'Ja, mevrouw De Winter, ik kende haar plannen. Marieke en ik heb-ben verschillende malen over deze geschiedenis gepraat en voor haar stond bovenal vast dat ze het contact met meneer Bouwsma niet wilde verbreken. Omdat er thuis geen verandering in de overtuiging van uw man te bespeuren viel nam ze het besluit weg te gaan uit huis. Mijn ouders hebben haar voorgesteld voor enige tijd bij ons te komen wonen, het huis is groot genoeg, het zou geen probleem zijn, maar dat wilde ze niet. Ze was vastbesloten naar Menno Bouwsma en zijn vrouw te gaan. En dat heeft ze vanmiddag gedaan.'

'Jij wist ervan, je hebt haar niet op andere gedachten gebracht?'

'Er waren voor Marieke, en ook voor mij niet, geen andere gedach-ten mogelijk.'

Na nog even praten sloot Lizzy het gesprek met een korte groet af. In de huiskamer aan de Buitenkade hing een loodzware spanning en er was een groot gevoel van onrust over de onzekerheid hoe dit zich in de komende dagen en weken zou ontwikkelen.

In de huiskamer aan het Herremansplantsoen was op een wonderlijke manier, die ze alle drie aanvoelden maar waarover ze niet wilden en konden praten, een sfeer gekomen van elkaar begrijpen, weten wat de anderen in grote lijnen in gedachten bezighield. Menno Bouwsma voelde blijheid omdat zijn dochter naar hem toe was gekomen. Bij hem en Suzanne, dat was juist, maar ze kwam voor hem. Suzanne had zorg over wat er na deze avond ging gebeuren. Hoe liep dit af? Ze probeerde dat denken los te laten. Ze wilde luisteren naar de lichte stem van Marieke en ze verbaasde zich er enkele malen over dat het meisje soms de zinnen opbouwde zoals Menno dat kon doen. Haar verwondering ging uit naar het feit dat de band tussen vader en kind ook in dit zover kon gaan. De stemming was nog wel gedrukt, er was ook veel spanning, maar de avond verliep beter dan Marieke had verwacht. En op de achtergrond van alle woorden die gesproken werden en waarnaar ze luisterde was de gedachte: het is goed tussen mama en mij. Mama staat niet echt achter de wil van Frits. Zij en ik laten elkaar nooit los.
Die nacht sliep ze in de ruime kamer aan de achterzijde van het huis, de kamer die gezellig en met smaak was ingericht voor een jong meisje. Lichte kleuren, leuke dingen, prulletjes en frutseltjes. Ze had het met een glimlach gezien toen ze de deur naar de kamer opende. Ze was getroffen door de warmte die ervan uitstraalde en het denken dat, ver voor in haar het plan opkwam uit huis te gaan en hierheen te fietsen, dit vertrek al voor haar was ingericht. Het gaf een gevoel van verbazing en verwondering. Ze was nooit van plan geweest naar het huis van Menno Bouwsma te gaan, ze wist ook niet

hoe alles in de toekomst zou verlopen, maar het inrichten van deze kamer was het bewijs dat vooral Menno aan haar had gedacht sinds hij wist van haar bestaan. En Suzanne, die het van hem begreep en hem hielp dit waar te maken...

Marieke lag stil onder het mooie dekbed, lichtroze en zachtblauwe motieven op een witte ondergrond. Hoe ging het verder? Bleef ze hier wonen? Kwam Edwin hier in de avonduren en in de weekenden? Ze wist dat hij hartelijk welkom was. Ging ze van hieruit in de nazomer naar de universiteit en betaalde Menno Bouwsma de kosten van haar opleiding? Bleef ze hier wonen omdat papa niet wilde buigen en toegeven? Kon ze leven zonder mama, Ineke en Thomas... Ze kon mama nu en dan ontmoeten, afspraken maken in een restaurant of elkaar in de zomer ontmoeten in één van de parken in de stad, samen op een bank zitten, maar als papa daarachter kwam zou hij woest zijn... Dit gebeuren kon het huwelijk van haar ouders kapotmaken. Ze woelde opeens onrustig in het bed. Wat had ze aangehaald, wat had ze gedaan? Papa had gezegd: op welke manier het zich ook ontwikkelt, als jij contact houdt met Bouwsma komen er grote problemen in ons gezin...

Marieke huilde zachtjes. Ze wilde niet dat Suzanne of Menno het zouden horen, maar ze maakte zich zorgen over wat na de vlucht van vandaag gebeuren zou... Was ze heel dom geweest niet haar vader te gehoorzamen, of mocht ze naar haar echte vader gaan...

10

DIE AVOND WAS FRITS, ZOALS LIZZY HET BENOEMDE, 'DOOR HET DOLLE heen'. Het hield voor hem in de eerste plaats boosheid in, maar ook verbazing en verontwaardiging. En het zat hem bovenal dwars dat het domme kind naar Menno Bouwsma was gegaan. Hoe kreeg ze dat nou toch in haar zotte kop!

Liz begreep zijn woede. Zij was ook boos op Marieke. Waarom nam het kind direct zo'n ingrijpend besluit? Maar ze had over het geheel andere gedachten dan Frits. Hij tierde: 'Wat een malle, idiote, dwaze streek van die meid!' Hij had nog meer uitdrukkingen in dat genre: 'Hoe krijgt ze dit nu toch in haar hoofd?! Maar ik weet het wel,' bij die woorden had hij met ingehouden dreiging naar Liz gekeken, want hij vermoedde dat zij, ondanks haar zeggen aan zijn zijde te staan, begrip had voor het standpunt van Marieke. 'Ik weet wel wat er is gebeurd,' had hij geschreeuwd, 'er is, dat kan niet anders, dat is de waarheid, verbinding geweest tussen haar en Menno Bouwsma! Waarschijnlijk heeft hij haar gebeld, maar hij kan ook zo pienter zijn geweest te bedenken dat hij op haar kon wachten op de hoek van de kade. Rustig in zijn mooie auto zitten, vroeg of laat kwam ze voorbij... Hij wil en hij zal contact met haar hebben en het is hem gelukt. Alles lukt Menno Bouwsma als hij er zijn inzet en kracht aan geeft! Wie weet welke prachtige voorstellen hij haar heeft gedaan en welke beloftes over van alles en nog wat, het is bekend hoe mooi hij kan praten, dat weet jij uit eigen ervaring!' Bij die woorden was weer zijn blik naar Liz gegaan, 'jij weet dat hij daar bijzonder goed in is...'

'Maar denk erom,' had Frits tegen het einde van de avond, het was al bijna nacht, luid geroepen, 'dat er vanuit dit huis geen contact wordt gezocht met Marieke de Winter! Liz, jij bent de enige die dat zou kunnen doen; ik verbied je bij deze haar te bellen. En als ze jou belt leg je onmiddellijk de hoorn terug op het toestel. Dit meningsverschil speelt zich vooral af tussen haar en mij en het moet ook tussen haar en mij opgelost worden. Door mij dus, niet door jou. Hoor je goed wat ik zeg?! Jij zoekt geen contact met haar. Zij is op eigen initiatief weggegaan, ze moet ook op eigen initiatief de weg terug nemen. Via mij. Ze kan me niet passeren.'

Veel opmerkingen en roepen op dit terrein waren de twee eerste dagen na het vertrek van Marieke voorbijgegaan. Frits was woedend. Marieke was het niet met hem eens geweest, dat was duidelijk genoeg bekend, maar dit had hij niet verwacht, zo ongehoorzaam. Kleren en spulletjes bij elkaar zoeken en uit hun huis vertrekken als de beledigde dame die haar zin niet krijgt... Frits de Winter voelde zich onmachtig in deze situatie. Hij had verwacht dat het domme wicht lange tijd zou blijven mokken en hem opvallend negeren, maar het was nog een kind met haar achttien jaren en hij had als volwassen man een verstandig oordeel over de ware inhoud van de situatie en hij had een glimlach van begrip voor het weten dat deze periode voorbij zou gaan. En dan, daarop hoopte hij en daarin had hij vertrouwen, maar misschien was het nog te vroeg zo optimistisch te denken, eerst de storm maar laten opkomen en weer zien afnemen, maar dan zou Marieke inzien waarom hij zo had gehandeld. Maar wat ze nu had gedaan, het huis ontvluchten en de allerdomste streek uithalen: naar de woning van Menno Bouwsma vluchten! Het was toch wel het toppunt van dwars en tegendraads willen zijn...

Lizzy ging niet tegen zijn boosheid in, maar ze gaf hem ook geen gelijk.

Vrijdagavond, tegen het einde van de maaltijd, zei ze tegen Ineke en Thomas dat papa en mama met hen wilden praten over het weggaan van Marieke. Als de tafel was afgeruimd. Toen ze met de vuile borden in haar handen naar de keuken liep dacht ze met een wrang lachje dat dit de tweede vrijdagavond was waarop werd geprobeerd het goede contact met hun kinderen in stand te houden, eerst Marieke, nu 'de kleintjes'.

Ineke wist van een 'echte' vader van Marieke. Liz had haar daar één of twee jaar geleden over verteld. Ineke had de strubbelingen tussen papa en Marieke voor haar vertrek wel opgemerkt. Natuurlijk, de woorden gingen luid en duidelijk genoeg door de kamer. Maar Ineke verdiepte zich er niet echt in. Dit was iets tussen papa en Marieke. Ze knokten het samen wel uit. Aan Thomas waren de woordenwisselingen grotendeels voorbijgegaan. Er werd vaker luid gepraat en ook geschreeuwd in huis, maar het waren altijd kortstondige ruzietjes waarmee hij niets te maken had. Tot de avond waarop Marieke niet thuiskwam. Mama belde ongerust naar oma, ze belde ook naar de ouders van Edwin; toen was hij bang geworden, want wat was er gebeurd... Hij dacht direct aan een ongeluk... Opa Hans had eens gezegd: 'Dat kan nooit goed gaan, Marieke vliegt alsof ze vleugels op haar rug heeft door het drukke verkeer,' en nu was Thomas erg bang dat er iets met haar gebeurd was. Het was dus niet goed gegaan... Papa en mama wilden hem niet direct vertellen over het ongeluk, eerst afwachten of het misschien toch meeviel, maar nu dat niet gebeurde... Lag ze in het ziekenhuis en waarom mocht hij dat niet weten? Marieke was toch zijn grote zus...

'Ik zal ons ventje het verschil tussen een echte vader en een niet-echte vader uitleggen,' had Frits op een vastberaden toon gezegd, 'hij is niet meer zo jong dat hij daar niets van kan begrijpen, maar hij houdt zich gelukkig nog niet met dit soort onderwerpen bezig. Zijn auto's en de garage spelen een belangrijker rol in zijn leventje. Ook een partijtje voetballen op het grasveld bij de kade vindt hij interessanter. Maar dit moet uit de doeken gedaan worden voor het jochie zich nare dingen in het hoofd haalt over zijn zus. En hij voelt de stemming in ons huis, hij kan zich onbewust buitengesloten voelen en dat mag niet gebeuren...'

Het was een vrij kort gesprek geworden. Lizzy had er naderhand stilletjes om gelachen. Frits had verteld over een man en een vrouw die iets met elkaar doen, zoals dat ook bij dieren gebeurt en... Thomas knikte begrijpend. Ja, als je een kater en een poes in je huis had, zoals bij Tommie Wildervanck, nou, dan kon je verwachten dat er op een morgen kleine poesjes in de poezenmand lagen... Hij vond het interessant toen papa vertelde dat er eerst een man was geweest die vader werd van Marieke, daarna was er een andere man, dat was papa, dus dat zou echt waar zijn, papa wist dat natuurlijk, en die man was nu de vader van Marieke. Dat klopte, wist Thomas, want ze had steeds in hun huis gewoond, maar nu was ze weg. Ze was naar die eerste vader gegaan. Hij knikte wel alsof hij het allemaal begreep, maar toen Frits uitverteld was vroeg hij: 'Ik snap toch niet waarom Marieke nu opeens bij die vader gaat wonen. Toen ze klein was was die vader er toch ook al? Maar toen wilde ze bij ons wonen... En ze heeft hier toch een vader?'

Lizzy probeerde een verklaring te geven, ze verwerkte de werkelijke feiten erin en Thomas zei dat hij het begreep. 'Als ze bij die vader blijft wonen, mam, moet je me zeggen waar die vader woont. Dan stap ik op mijn fiets en ik ga naar dat huis toe en ik zeg dat ze weer hier moet komen. Ik ben haar broer, en zussen en broers wonen altijd bij elkaar.'

Liz had inderdaad contact met Marieke gehad. Frits had haar verboden naar de Bouwsma's te bellen en erheen gaan stond heel hoog op de straflijst, zijn boze gezicht bij die woorden en zijn vlammende ogen... maar Liz had zich daar niets van aangetrokken. Ze nam zich voor de dag nadat Marieke naar het Herremansplantsoen was vertrokken te bellen. Rond drie uur. Dan was Menno nog niet thuis... Maar om kwart voor drie rinkelde de telefoon. Toen ze opnam en haar naam noemde klonk van de andere kant van de lijn bijna fluisterend de stem van haar dochter: 'Ben je alleen, mam...' en toen Lizzy daar bevestigend op antwoordde, vroeg Marieke: 'Hoe gaat het me je, mam?'

'Marieke, ik houd van je, dat weet je en dat zal altijd zo blijven, maar ik vind dit toch een heel nare streek van je. Als je naar oma Nadine en opa Hans was gegaan, ja, daar zou ik begrip voor kunnen opbrengen.'

'Dan waren jullie gisteravond al in hun huis geweest om me terug te halen. En wie weet welke lelijke woorden papa dan voor mij in petto had, hij zal heel boos op me zijn.'

'Dat is hij inderdaad. En, Marieke, ik heb begrip voor jouw wil Menno te leren kennen, dat weet je, maar dit had je niet moeten doen. Dit is te erg. Hier komt nog heel veel narigheid uit voort. En niet alleen voor jou, jij zit vrij veilig in dat huis aan het Herremansplantsoen, maar ik woon in dit huis aan de Buitenkade en papa, een heel boze papa woont hier ook. Ik zal proberen zo secuur en rustig mogelijk om alle klippen heen te zeilen, maar, Marieke, ik zie geen einddoel in zicht, geen land in zicht, waarop moet dit uitlopen...'

'Ik kon niet langer thuisblijven. Ik kreeg geen kans met Menno en Suzanne contact te leggen en dat is het enige wat ik wil. Dit is de enige oplossing. Maar hoe het verder zal gaan... Misschien blijf ik wel hier... Maar, mam, dat weet jij toch ook, papa zal langzamaan met de nieuwe situatie vertrouwd raken en uiteindelijk, maar hoe lang dat zal duren is niet bekend, zal hij er in berusten dat ik met Menno een band wil hebben. En jij en ik kunnen elkaar toch ontmoeten? Je kunt zelfs hier komen, Suzanne en ik hebben daarover al gesproken. Suzanne begrijpt dat jij wilt weten hoe het met me gaat en ik wil jou zien en je stem horen en dat moet toch kunnen? Papa is toch niet zo machtig dat hij ons uit elkaar kan halen? En daar

heeft hij toch het recht niet toe? Hij gedraagt zich als een heerser...'
Ze praatten nog een poosje door, toen eindelijk de telefoon was neergelegd voelde Lizzy een diepe moeheid in haar denken. Hoe moest dit verder, wat moest er gebeuren en op welke manier kon zij eraan meewerken dit dilemma tot een bevredigend slot te brengen? Een bevredigende oplossing... Marieke bij Menno en Suzanne laten was dat zeker niet. Zij wilde haar dochter weer bij zich hebben, maar zoals de feiten en de omstandigheden nu lagen zou Marieke niet naar huis terugkeren en als dat wel gebeurde, door welke invloeden dan ook, was Frits de triomfator, de oneerlijke triomfator en daaraan wilde ze niet meewerken... Ze hield van hem, ze begreep wat hij voelde en ze dacht aan de periode na de ontmoeting tussen Menno en haar. Het was rustiger geweest in hun leven als die middag niet had plaatsgevonden, maar zij had na zoveel jaren de overtuiging dat Marieke haar biologische vader mocht leren kennen en dat Menno mocht weten van zijn kind. En het moest op papier uitgewerkt, in hoofden op een rij gezet, mogelijk zijn geweest. Verstandige mensen die verstandige besluiten namen. Er moest een mogelijkheid zijn met dit gegeven in vrede met elkaar te leven. Marieke hield van Frits, ze zou hem, als alles rustig was verlopen, zeker niet loslaten...

Zaterdagavond lagen Frits en zij in het brede bed. De hoofden weggezakt in de zachte kussens. De kamer was bijna in het duister gevat, er brandde alleen een lampje, in de hoek bij het raam. Het straalde warm licht uit. Lizzy had haar ogen open, ze keek naar het plafond. Als ik met zachte stem over deze omstandigheden zou vertellen, dacht ze, zou het als romantisch en goed naar voren komen en zo is het ook dikwijls geweest, hier in deze slaapkamer, wij hebben heerlijke nachten doorgebracht, zacht fluisteren om de kinderen niet wakker te maken, elkaar kussen, elkaar begrijpen, man en vrouw zijn...

Frits lag op zijn deel van het bed. Als ze haar hoofd opzij draaide zag ze zijn gezicht van opzij, maar dat deed ze niet. Frits lag ook op zijn rug, het dekbed opgetrokken tot halverwege zijn borst.

'Kan jij,' kwam zijn stem, ze hoorde aan de klank daarin dat hij aarzelde deze woorden uit te spreken, want hij wist dat als hij ze eenmaal gezegd had, hij ze niet meer terug kon nemen, 'kan jij nu, na achttien jaren, Menno Bouwsma vergeven voor wat hij je toen heeft aangedaan...'

Haar gedachten gingen razend snel. Voorzichtig zijn, Liz, let op je woorden. Je uitspraak hierover kan veel kapot maken...

'Het is inderdaad lang geleden. Ik was toen een meisje van achttien jaar en ik had totaal geen ervaring met jongens. Mijn ervaring ging niet verder dan met een vriendje hand in hand lopen, en elkaar een kusje geven bij het tuinpoortje was het heftigste wat ik beleefde. En dan de ervaring met wat toen gebeurde...'

'Ja, dat is een groot verschil.'

'Nu ben ik veel ervaringen op dit terrein rijker,' ze lachte toch even ondanks de ernst van hun gesprek, 'ik heb drie kinderen gebaard en ik heb een man die van mij houdt en ik houd van hem, we hebben fijne avonden samen, zo kan ik die uren keurig omschrijven en jij weet wat ik bedoel. Alles is nu heel anders dan die zaterdagavond in de kamer van Menno. Het overviel me destijds. Ik kijk er nu milder naar, ook met een beetje meer begrip voor Menno. Hij was drie jaar ouder dan ik, hij was verliefd op me, een stap verder durf ik zelfs uit te spreken, hij hield van me en ik hield van hem.'

'Ik maak uit dit antwoord op dat je hem hebt vergeven.'

'Ja, toch wel. Toen waren we pubers, we zijn nu, de drie die er vooral bij betrokken zijn, jij, Menno en ik, volwassen mensen.'

'Ik heb een vreemde vraag aan je, Liz en ik wil dat je er eerlijk op antwoordt. Wil je, als zich daartoe de mogelijkheid zou voordoen, alsnog met Menno Bouwsma verder in het leven...'

Ze schrok heftig van deze uitspraak, maar ze moest stil blijven liggen, niet overeind komen, zich niet naar hem toedraaien en hem aankijken, wachten en goed weten wat ze hierop ging zeggen, maar Frits had om een eerlijk antwoord gevraagd. Mocht ze nu tegen hem liegen... Dat antwoord zou, als ze werkelijk de waarheid uitsprak die ze nu, op dit moment voelde, 'ja!' zijn, maar het kon niet. Het was onmogelijk, er was geen weg terug voor Menno en haar, het kon en het mocht niet, niet om Frits, Ineke en Thomas en niet om Suzanne. Het was onmogelijk...

'Dat is een malle vraag!' Er was een ietwat lacherig facet in haar woorden, ze hoorde er ook haar nervositeit in, 'daarover heb ik nog nooit gedacht Frits, in de voorbije jaren niet en ook niet in de laatste dagen. Hoe kom je daar nu bij? Wij zijn getrouwd, we hebben het fijn samen, ja toch? We zijn nu gewikkeld in strubbelingen door Marieke en Menno, maar daar komt beslist een oplossing voor. En wij hebben Ineke en Thomas, onze dochter en onze zoon, schatten die we geen van beiden willen loslaten en dat doen we ook niet, ze horen bij ons beiden. Maar ik wil wel op je vraag ingaan. Tijdens de weken van vriendschap met Menno dacht ik niet serieus na over een toekomst met hem. Die vriendschap duurde daar ook niet lang genoeg voor en alles was zo pril tussen ons, tenminste van mijn kant. Maar ik was er in die tijd wel van overtuigd dat Menno mijn enige, grote liefde was. Die liefde kwam mijn jonge leven binnen. Ik was er verbaasd over, ik wist dat het bestond, maar dat was wijsheid uit boeken en films en verhalen, maar opeens was het er echt voor mij en ik pakte het met beide handen aan! Zo voelen jonge meisjes het bij hun eerste liefde en zo voelde ik het ook. Alles was nieuw en mooi en volmaakt. Maar ik dacht beslist nog niet aan trouwen met hem...' Lizzy bracht een lachje in haar woorden, ze lag nog steeds stil in het bed, ze vroeg zich af wat Frits wilde met zijn vraag en wat hij wilde dat zij erover uitsprak...

Er was vaag het gevoel te dromen en in die droom keek ze naar een film. Het was een vreemde film. Een man en een vrouw lagen in een bed, zij had een dunne, voile-achtige nachtpon aan, hij alleen een onderbroek. Ze lagen naast elkaar en ze kwamen niet dichter naar elkaar toe, er was ruimte tussen hen. Ze waren dikwijls dichter bij elkaar geweest, maar nu leek dat onmogelijk. Het was alsof bijna onzichtbaar die kleine, smalle ruimte tussen hen langzaamaan steeds breder zou worden, het bed werd ook breder, dat kon in een film en het kon in een droom en de opening werd steeds breder... Ze moest terug naar de werkelijkheid. Ze zei: 'Je kent de geschiedenis, het wordt vervelend het nog eens te herhalen; je weet wat er gebeurde. Het stelde me heftig teleur en ik was er heel boos over. Ik heb daarna een verdrietige en moeilijke tijd gehad. Jij en ik kennen elkaar. Je was een fijne collega en een goede vriend. Ik zeg het nu even poëtisch: je kwam naast me lopen en je hield mijn hand vast en dat deed me goed.'

Dit praten kon geen kwaad, het was een veilig gebied. Frits zou er rustiger door worden. Maar voor ze er nog iets aan toe wilde voegen vroeg hij: 'Heb jij contact gehad met Marieke?'

Ze schrok van die vraag, maar ze antwoordde direct: 'Ja. Jij verbiedt het me, op een schreeuwerige toon nog wel. Het was niet minder dan een bevel, maar jij mag en kan het mij niet verbieden. Ik had wel begrip voor je uitbarsting. Je woede zat je in de weg, nuchter denken was niet gemakkelijk op dat moment. Je wilde vasthouden aan wat jij als veilige regel had opgesteld: Marieke mag Menno niet ontmoeten. Maar Marieke is mijn dochter, net zoals Ineke mijn dochter is, en ik wilde weten hoe het met haar ging. Overigens, ik heb haar niet gebeld, zij belde mij. En ik heb naar haar geluisterd en met haar gepraat.'

Er viel een stilte in de schemerig verlichte slaapkamer. De droom en de film waren weggegleden, maar ze lagen nog steeds naast elkaar in het bed, allebei vrijwel zonder bewegen, niet draaien, niet naar elkaar kijken. Er ging spanning vanuit en Lizzy voelde die spanning langzaam groeien. Ze wist niet wat ze moest doen. Nu tegen hem aankruipen en zeggen dat alles goed zou komen was de juiste oplossing niet. Er was iets anders dat Frits bezighield, dat wist ze zeker, zo goed kende ze hem onderhand wel. Het kon een vraag zijn of een gedachte, maar hij aarzelde erover te beginnen. Het was het beste af te wachten hoe dit verder ging...

Pas na meer dan vijf minuten praatte Frits weer. 'Je zei zo-even, dat ik je geschiedenis kende en je vertelde niet verder, maar ik vertel je mijn geschiedenis nog een keer. Als inleiding naar het vervolg. Toen jij voor de eerste keer onze kantoorruimte binnenstapte wist ik dat jij het meisje was waarvan ik ging houden, het was liefde op het eerste gezicht. Die middag gingen mijn gedachten nog niet zover dat ik aan trouwen met jou dacht, maar dat jij de vrouw van mijn dromen was wist ik zeker. Het was vergelijkbaar met wat jij mij later vertelde over de eerste ontmoeting tussen Menno en jou. Het oogcontact tussen jullie. Wij hadden geen oogcontact, moge-lijk waren er daarvoor te veel mensen om ons heen. Je werd aan de groep voorgesteld door Karel Hooyman, ik kan me niet één van zijn woorden van toen herinneren, maar ik weet nog heel goed wat ik voelde bij het zien van jouw gezichtje, je ogen, je mond, het horen van je stem en je lach, nou ja, jij was het helemaal voor mij... Ik wilde met je praten, een afspraakje maken, maar ik ving vaag woorden op uit het gebabbel tussen Marja, Heleen en jou dat duid-de op een vriendje en als jij een vriendje had was er voor mij geen kans meer. Ik stelde ook vast dat er geen jongen zou zijn die jou na het eerste middagje samen nog zou loslaten... Ik was teleurgesteld en verdrietig. Dat klinkt nu ik dit, als volwassen man zeg, een beetje zielig, maar het was wel zo. Na enige tijd bemerkte ik dat er geen vast vriendje was en ik begreep dat het tussen jou en mij niet verder zou komen als ik bleef afwachten; jij zou mij niet vragen voor een wandelingetje door het Vondelpark...'

Liz lag nog steeds stil in het bed. Af en toe trok ze één van haar benen even op om die weer snel neer te leggen. Waarover Frits nu praatte was haar allang bekend, maar ze begreep dat het als een inleiding diende naar zijn eigenlijke onderwerp. Wilde hij haar duidelijk maken dat het zijn grote liefde voor haar was geweest haar kind als zijn dochter aan te nemen... En dat hij, daarop aansluitend, liet merken dat hij nu verwachtte dat ze met hem samen moest proberen Marieke weer bij hen te krijgen? Zij waren toch de wettige ouders van Marieke...

'Ik houd heel veel van je, Lizzy, dat weet je. Maar sinds Menno Bouwsma terug is gekomen in jouw leven heb ik het gevoel dat, wat eens was tussen jou en hem, een echte liefde is geweest. Die liefde werd kapotgemaakt door zijn domme handelen, jullie liefde werd daardoor onderbroken, maar is niet echt verdwenen. Voor hem niet en voor jou niet.

Liefde is een gevoel dat een mens overkomt; ik weet het uit ervaring. Als in jou, na het opnieuw ontmoeten van Menno en het horen van zijn stem, die liefde van toen is teruggekomen, opnieuw is opgebloeid zoals dichters dat omschrijven, Liz, dan moet je het me zeggen. Het is iets waaraan je geen schuld hebt, zo moet en mag je het niet voelen. Maar ik kan niet naast jou leven met het weten dat jij stilletjes nog van Menno houdt. Als dat zo is laat ik je vrij. Hoe het opgelost moet worden met onze kinderen, Ineke en Thomas, is een probleem dat nu voor mij niet op de eerste plaats staat en ik weet zeker dat we daar een goede oplossing voor vinden.'

Lizzy lag na deze woorden met een veel te snel kloppend hart en gevoelens die ze niet kon onderdrukken naast hem. Ze luisterde naar zijn stem, die schijnbaar rustig klonk, alsof hij alle woorden die hij uitsprak goed had overdacht. 'De liefde is het mooiste wat in het leven van een man en een vrouw kan komen. De liefde kan ook het noodlot zijn. Ik ben jarenlang gelukkig geweest in ons huwelijk. De dagen leken naar buiten toe ogenschijnlijk gewoon en rustig voorbij te gaan. In de morgen opstaan en met z'n vijven aan de ontbijttafel zitten, daarna het werken in het kantoor, weer thuiskomen, samen aan tafel, gebabbel en gesnater van de kinderen, wij met elkaar in gesprek. Maar op de achtergrond was voor mij steeds het gevoel van geluk dit leven met jou en onze kinderen te hebben. Kleine ruzietjes en strubbelingen hoorden erbij. Ik ben ervan overtuigd dat veel mensen dit geluk niet ontmoeten in hun leven. Je weet dat ik diep in mijn hart een gelovig mens ben, een stil gelovig mens noem ik mezelf. Niet zingen in de kerk over Gods glorie, maar ik ben ervan overtuigd dat een Grote Kracht boven ons kleine mensjes heerst en alles, van heel kleine dingen tot grote gebeurtenissen, leidt en volgt en ziet. Ook mijn geluk heeft Hij in handen. In de avond, in ditzelfde bed, heb ik Hem daarvoor dikwijls bedankt. Maar als het voorbij is, zonder mijn schuld en zonder jouw schuld, zal ik dat accepteren en dragen en we zullen goede oplossingen vinden.'

Nog steeds zacht trillend van emotie bij deze woorden lag ze naast hem. Ze werd ineens gegrepen, zo heftig voelde het, bijna overweldigd door een gevoel van liefde voor hem, het vermengde zich met medelijden — hoe erg zou dit voor hem zijn als het wel gebeurde, Menno en zij — maar zijn liefde overwon: Frits gunde het haar als ze dit wilde... Verder gaan met Menno... Nu niet denken aan Ineke en Thomas, maar hoe kan ze dat doen, niet aan ze denken, dat was toch onmogelijk? Als het doorging, het was ondenkbaar, maar als het doorging was het Menno, zij en Marieke. Haar leven zou spannender worden en ze was nog jong genoeg voor spanning. Ze verlangde er vaak naar, meer ondernemen, reizen maken naar verre landen, uitgaan, meer mensen om zich heen hebben; Menno was zo anders dan Frits. Frits was een rustig, tevreden en gelukkig man in zijn kleine wereld... Ze richtte zich op, boog zich naar hem toe en kuste hem. 'Lieve, lieve Frits,' fluisterde ze, 'ik vind het heel bijzonder dat je me die vrijheid zou gunnen als ik dat wilde, maar ik wil het niet. Menno heeft een rol in mijn leven gespeeld en het werd een belangrijke rol door de komst van Marieke. Hij kan, nu hij in ons leven is teruggekeerd, er niet meer uit weggestuurd worden. We moeten hem als de biologische vader van Marieke accepteren en hem een plaatsje geven, niet als een belangrijk persoon, maar wel een plaatsje en dat moet mogelijk zijn. Maar in elk geval, Frits, speelt hij geen rol in ons huwelijk, in het verbond tussen jou en mij. Wat gebeurd is tussen hem en mij kan niet ongedaan gemaakt worden en dat hoeft ook niet.' Ze lag heel dicht naast hem, ze voelde de koelte van zijn lichaam, ze wilde hem warmen, ze zag zijn ogen, zijn mond, 'het is de weg te vinden hoe dat op een voor iedereen, die erbij betrokken is, op een goede manier kan gebeuren en die weg vinden wij, maar ik hoor bij jou en jij hoort bij mij en dat zal blijven tot het einde van mijn leven. Frits, ik houd van je, ik heb voor jou gekozen en ik blijf voor jou kiezen...'

Hij sloeg zijn armen om haar heen en kuste haar. 'Lieveling, mijn lieveling, ik houd zoveel van je, ik kan je niet missen, ik wil je niet missen, maar ik was zo bang dat je stilletjes in je hart naar Menno verlangde...'

Marieke was drie dagen in het grote, statige huis van Menno en Suzanne Bouwsma aan het Herremansplantsoen. Ze was er lichtelijk verbaasd over dat ze zich na alles wat er gebeurd was hier zo redelijk op haar gemak voelde. Het kwam natuurlijk in de eerste plaats door het weten dat ze hier welkom was en het weten dat Menno en Suzanne het goedkeurden dat ze deze stap had gezet. De eerste morgen na de moeilijke middag, de vreselijke avond en

de onrustige nacht hadden Suzanne en zij samen in de grote huiskamer gezeten. Het was in de ogen van Marieke een heel sjiek en
prachtig ingerichte kamer. Mooie meubelen, een grote boekenkast,
een kast waarin kostbaar porselein was opgeborgen, bloemen op de
tafel en planten in de vensterbanken.

Suzanne had tegen het einde van hun gesprek gezegd, het werd tijd
een broodje te eten in de woonkeuken: 'Marieke, er moet door jou
een daad gesteld worden die je vader duidelijk maakt wat jij wilt.
Jij wilt contact houden met je echte vader. Maar juist dat is wat
vader Frits niet wil. Twee stevige koppen tegen elkaar, maar papa
Frits zal moeten toegeven dat er geen andere mogelijkheid is dan
contact tussen Menno en jou toe te laten. De hele geschiedenis kan
niet meer teruggedraaid worden, Menno weet van jou en jij weet
van hem. Jullie laten elkaar niet meer los. Je vader zal,' Suzanne had
een lachje aan haar woorden toegevoegd: 'moeten leren leven met
de wetenschap dat Menno Bouwsma zijn leven is binnengekomen
en Menno Bouwsma is geen man die je weer aan de kant kunt
schuiven... Maar als bij je vader de woede is gezakt en hij weer de
verstandige man is die normaal kan denken, wordt een goede
oplossing gevonden.'

Later die morgen had Marieke gevraagd haar moeder te mogen bellen. 'Natuurlijk mag je dat, kind, maar loop je niet het risico je vader
mopperend en scheldend aan de lijn te krijgen zodra hij jouw stem
hoort? Ik kan me voorstellen dat hij vanmorgen naar zijn kantoor
heeft gebeld en heeft gezegd dat hij zich niet lekker voelt. Wellicht is
dat ook werkelijk waar, het was voor je ouders een vreselijke middag,
avond en nacht. Als het is zoals ik verwacht krijg je hem aan de lijn...'
Maar Marieke wimpelde dat idee glimlachend af. 'Nee, mijn vader
heeft zoveel plichtsbesef; hij moet echt heel ziek zijn wanneer hij niet
naar kantoor gaat. Bij ons in huis geldt de regel, bestemd voor vader
en kinderen: elke morgen rechtdoor naar school en kantoor...'

Ze had haar moeder gebeld en met haar gepraat. Mama was aan het begin van het gesprek boos geweest. Het had toch op een andere manier opgelost kunnen worden? Waarom was deze sensatie nodig, waarom de Bouwsma's er zo nadrukkelijk bij te betrekken? Meteen heftig aan de weg timmeren, maar Marieke hield vol dat ze geen andere oplossing zag papa duidelijk te maken wat zij wilde.

Toen ze de hoorn had teruggelegd werd het gesprek tussen Suzanne en haar voortgezet. 'Mijn moeder was eerst wel een beetje nijdig en moeilijk tegen me, maar dat ging snel voorbij. Zij is er ook van overtuigd dat er een oplossing gevonden wordt, want papa wil natuurlijk niet dat ik hier blijf wonen. Dat is niet de bedoeling. Ik wil terug naar de Buitenkade, daar hoor ik, daar woon ik met mijn moeder, mijn vader, met Ineke en Thomas. Het is van mijn kant, een middel, een demonstratie om papa te laten zien hoe belangrijk dit voor mij is. Nu mijn echte vader en zijn vrouw in mijn leven zijn gekomen,' een lachje naar Suzanne, 'wil ik ze erin houden! Als papa rustig nadenkt begrijpt hij dat. Het waren voor hem ook hectische dagen.' Suzanne had instemmend geknikt en gezegd dat er beslist een oplossing gevonden zou worden. Natuurlijk werd er een oplossing gevonden waarmee ze allemaal konden leven...

In de middag kwam Edwin. Ze praatten eerst een poosje met z'n drieën, daarna ging het tweetal naar de kamer van Marieke om te praten over wat nu gebeuren moest en Suzanne bleef alleen in de huiskamer.

Ze dacht aan de echt gemeende vriendelijkheid waarmee ze Marieke had ontvangen. Het telefoontje van die eerste middag. De opgewonden stem van het meisje: 'Mijn vader is razend, er is niet met die man te praten, hij is helemaal doorgedraaid, ik kom naar jullie toe...' Na haar verbouwereerde antwoord: 'Dat is goed kind' werd de verbinding meteen verbroken en korte tijd later zag ze het jonge snoetje, vertrokken van emotie, voor het grote raam. Menno had haar gezegd dat hij zijn dochter had aangeboden in geval van moeilijkheden thuis bij hen te komen, maar zij verwachtte niet dat Marieke dat ook zou doen. Op zich was Suzanne bereid een meisje van achttien te helpen, dat grote problemen had met haar ouders en wist de strijd op dat moment niet te kunnen winnen. Ze had dergelijke situaties in haar eigen jeugdjaren meerdere malen meegemaakt. Vijftien, zestien was ze toen ze zich in haar eerste verliefdheid stortte. De gelukkige was Jan Verschoor geweest. Verder dan hand in hand met hem door het dorp, waar ze toen woonde, wandelen ging het niet en bij het afscheid kusjes dichtbij het huis. Haar vader had over veel zaken in het leven een afgeronde mening en aan die mening was niet te tornen. Zo zag hij het, zo was het dus en zo bleef het. Hij wist hoe hij grote en kleine problemen met zijn kinderen moest aanpakken. En de keuze van zijn dochters voor hun toekomstige echtgenoten was een zaak die vader Stelling ernstig opvatte. En er waren weinig jongens die zijn goedkeuring konden wegdragen.

Ze had zich in uren van wanhoop en woede meerdere malen afgevraagd naar wie ze kon vluchten, ergens kon uithuilen en weg zijn van de grove woorden die vader naar haar hoofd slingerde, maar niemand van de familie zette een deur wijd voor haar open. Een dochter van Klaas Stelling nam je niet in huis om te troosten, dan kwam je in zijn vaarwater en dat duldde hij niet. De narigheid begon als ze een jongen, die ze aardig vond, een beetje verliefd, een beetje blij van binnen, mee naar huis had genomen. In de ogen van moeder Stelling kon zo'n knaap meestal wel genade vinden, en bovendien, het was nog zo pril, er was nog lang geen zekerheid tussen die twee, maar als vader de naam hoorde wist hij uit welke familie hij kwam en het was vrijwel zeker dat die familie niet deugde. Ze had het drie of vier keer meegemaakt. In elke familie was altijd wel één persoon te vinden die af en toe te veel dronk, iemand die te lui was om te werken of een neef die te veel naar andere vrouwen keek. En in het geval van Jan Verschoor was het zo geweest, vader wist het zeker, dat zijn oom Jacob naar de slechte vrouwen ging. Vader had ook de zotte gedachte dat hij helderziende was. Aan de manier van kijken van de kandidaat-schoonzoon kon Klaas Stelling zien of de jongen een goed verstand had, nodig om in de toekomst een baan te veroveren waarmee hij het brood en de boter erop voor zijn dochter kon verdienen.

Suzanne bleef verdiept in de herinneringen aan die tijd. Vader keek ook naar de kleding van de knaap. Want aan de kleding kon hij zien of Jan of Jaap of Theo uit een net gezin kwam. Als er een naadje los was aan een overhemd of een bloes was niet goed schoon had de jongen een slonzige moeder.

Als er in die tijd een oom of een tante of een nicht was geweest die had gezegd: Wanneer het je te warm wordt onder de voeten, Suzan, kom dan naar ons toe..., maar dergelijke begrijpende familieleden had ze niet.

Suzanne keerde met een lichte zucht en een glimlachje terug naar vandaag.

Menno had de deur van hun huis voor Marieke opengezet. Marieke was gekomen en Suzanne had zich daarover laconiek opgesteld. Denkend aan de herrie van vroeger in haar ouderlijk huis verwachtte ze dat de onenigheid die nu gaande was aan de Buitenkade net als toen, wanneer vader gewonnen had, de verkering voorbij, na één of twee weken van de baan zou zijn geschoven. In dit geval zou Frits de Winter toegeven dat hij inderdaad niet tussen Menno en Marieke kon komen. Zo zou het gaan. Marieke bleef een paar dagen bij hen, dan kwamen er goede berichten vanaf haar thuis, want wat nu gaande was wilde Frits de Winter natuurlijk niet. Het kind stopte haar spulletjes weer in de grote sporttas en fietste terug naar huis...

Suzanne kende de gedachten die op de achtergrond in haar hoofd zeurden. Ze wilde ze liever niet naar voren halen, maar ze lieten zich niet verdringen. Het was het gesprek dat ze met Anne had gevoerd, enkele dagen nadat Menno en Lizzy elkaar ontmoetten en Menno zijn dochter had gezien... Anne begreep dat het voor Menno een enerverende middag was geweest, maar ze had gezegd: 'Suzan, laat je niet meeslepen door alle gloedvolle woorden die Menno over je heen stort over zijn verloren en teruggevonden liefde. Doe dat niet, je moet je huwelijk in de gaten houden! Voor Menno is dit een emotievolle tijd en dat begrijpen wij heel goed, maar ook voor jou was het emotievol te horen dat je man een dochter heeft. Dat is nogal wat. Maar houd voor ogen dat je op je huwelijk moet letten. Niet te ver meegaan in het denken van Menno. Ik weet niet welke gedachten en verlangens in zijn hoofd spelen. Ook niet in welke richting ze gaan. Mogelijk is het anders dan ik denk. Hopelijk is hij nuchterder dan ik verwacht, maar ik ken Menno na onze jarenlange vriendschap en hij kan door de bijzondere omstandigheden die rond hem spelen, denken aan een verder leven met Lizzy en Marieke. Maar Lizzy is getrouwd en ze heeft naast Marieke nog twee kinderen. Ik vermoed dat ze man en kroost niet in de steek zal laten om met Menno verder te gaan, maar je weet hoe veroverend Menno kan zijn! Als hij al zijn charmes en zijn mooie woorden in de strijd werpt heeft hij veel troeven in handen. Uitwijden over hun grote liefde van destijds, vertellen hoe verliefd hij op haar was, hij kon niet van haar afblijven...' Anne lachte luid toen ze dat had gezegd, 'maar dat zal hij er niet aan toevoegen! En dan nog hun mooie dochter... Je weet nooit hoe het in dergelijke omstandigheden kan lopen, pas op je tellen, ga er niet in mee, denk aan jullie huwelijk. Menno en jij hebben het fijn samen, dat moet zo blijven, dat moet je vasthouden. Ik wil bijna zeggen: daarvoor moet je vechten! Door deze gebeurtenis zijn in Menno sentimenten naar boven gekomen en dat is volkomen begrijpelijk, het was een heftige middag, maar na enige tijd krijgt alles toch weer een eigen plekje, wordt het rustiger om hem heen en kan hij van alles de juiste waarden zien. Ook zijn huwelijk met jou. Als dan een weg wordt gevonden waarin hij contact met zijn dochter kan houden zal het goed gaan...'

Anne had er in de eerste plaats op aangedrongen aan zichzelf te denken. Ze was gelukkig met Menno, hun leven was goed, dit moest ze vasthouden, niet meedromen in emotionele voorstellen van de vader die verlangt naar zijn kind en verlangt naar de geliefde, die hij na bijna twintig jaren weer heeft gezien... Anne had alles waarschijnlijk met andere woorden gezegd, maar hierop kwam het neer. Anne vond dat ze haar eigen geluk moest beschermen. Maar als het geluk van Menno bij Lizzy lag, als dat de grote waarheid was, wilde zij dan, los van het feit of Lizzy dit wilde, vechten en op alle mogelijke manieren proberen Menno aan zich te binden terwijl ze wist dat zijn gedachten voortdurend bij Lizzy waren, dat zijn liefde voor Lizzy was... Het was moeilijk hierover te denken. Anne had geprobeerd haar duidelijk te maken dat deze gevoelens van Menno nu van onduidelijke aard zouden zijn, ze werden aangewakkerd door heftige verlangens, toekomstdromen omringd door een ruime fantasie, maar dat alles zou afzwakken en voorbijgaan. Suzanne wist dat, wanneer Menno echt het verlangen had zijn verdere leven met Lizzy en zijn dochter te delen, het in haar veel, heel veel kapot zou maken. Ze wist ook dat het niet meer hersteld kon worden als Menno na enige tijd van proberen Lizzy te veroveren te horen kreeg dat zij niet met hem verder wilde, dat ze bij Frits en haar gezin bleef. Menno keerde dan teleurgesteld terug naar haar; dan zou het heel moeilijk zijn hem weer te accepteren. Waarschijnlijk kon ze dat niet. Er was te veel stukgemaakt tussen hen wat niet meer geheeld en vergeten kon worden. Hij was dan nog blij met Marieke, want die band kon niet doorgesneden worden, maar Marieke was zijn dochter, niet de vrouw die met hem zijn leven deelde en naast hem in zijn bed zou liggen... Als dat gebeurde kon ze niet verder met hem... Dan was hun liefde voorbij, hoe mooi en goed het ook tussen hen was geweest.

Laat in de avond zaten Menno en zij in de kamer. Marieke was tegen halfelf naar boven gegaan. 'Ik ga eerdaags terug naar huis, dat voel ik, het komt goed,' zei ze, ze stond in de deuropening, lief, lachend snoetje, lichtjes in de blauwe ogen, 'maar ik wil de kamer die ik hier heb wel meenemen naar ons huis! Het is een heerlijke kamer! Leuk dat jullie die voor mij hebben ingericht terwijl er nog geen sprake was van wat ging gebeuren, ik bedoel mijn vlucht naar hier.'

'Hoe dan ook, Marieke,' had Menno daarop geantwoord, 'blijft die kamer op je wachten. Het is toch ons plan elkaar nu en dan te ontmoeten?'

'Ja,' had ze ingestemd, 'dat is zeker zo.'

Toen ze de deur had dichtgetrokken en Suzanne aan de snelle voetstappen op de trap hoorde dat ze naar boven was gegaan, zei ze: 'Ik wil met je praten, Menno.'

Hij keek haar aan. Hij wist aan de klank in haar stem dat het een belangrijk gesprek zou worden.

'Goed, lieverd, ik luister naar je. Er zijn in de laatste tijd al zoveel woorden tussen ons gewisseld, ik weet bijna zeker dat jij daar iets over te vragen of te zeggen hebt.'

'Ja. Je hebt me in de jaren waarin we getrouwd zijn meer dan eens over vroegere vriendinnetjes verteld, dat waren kortstondige en onschuldige liefdesavontuurtjes, het begon al op het gymnasium, ik herinner me de namen Charlotte en Anneke...'

'Ja,' viel Menno haar in de reden, 'Charlotte en Anneke. Over Anneke kan ik me weinig meer herinneren, maar Charlotte was

een mooie en een leuke jongedame. Lange benen, fijn kopje, donker haar... Waardoor het tussen ons voorbij is gegaan ben ik kwijt.'
Suzanne nam de draad weer op. Want nee, Menno Bouwsma, ik geef je niet de kans zijweggetjes in te slaan, ik meen mijn woorden heel serieus. 'Maar over Lizzy heb je me nooit verteld.'
'Nee. Je begrijpt na alles wat in de laatste tijd is gebeurd dat Lizzy op een andere manier iets voor mij betekende dan Anneke of Charlotte.'
'Je wilde haar als een pareltje van de grote liefde voor jezelf bewaren.'
'Je zegt het mooi, Suzan, maar het was voor mij meer een pareltje van spijt en schuldgevoel dan van liefde. Want haar liefde was ik door mijn eigen domme schuld kwijtgeraakt en daar had ik het heel moeilijk mee. Lizzy was in de liefde nog lang niet zover als ik, zo kan ik het wel zeggen, dan begrijp je wat ik bedoel.'
'Je vertelde me pas na aandringen van mijn kant over haar toen Koos die zaterdagavond meer over je liefdesleven als student wilde weten.'
'Ja. Koos begon daar gewoon over. Het zou een leuk onderwerp zijn, geen grasgroene jongemannen meer die over avontuurtjes van vroeger vertelden, hier en daar wat aangedikt en mooier gemaakt, gezellig om naar te luisteren; hij had geen idee wat hij ermee losmaakte. Je moet me geloven, Suzan, als ik zeg dat ik in de jaren voor die avond vrijwel niet meer aan Lizzy had gedacht. Ik leerde jou leven kennen, onze liefde was anders dan de aanwaaiende, flitsende liefde die tussen Lizzy en mij is geweest, maar ik was intussen weer een paar jaartjes ouder en ernstiger. Ik stond niet meer zo vol dolle plannen en uitziend naar te verwachten heerlijkheden in het leven. Tussen jou en mij verliep alles prima, wij hielden en houden van elkaar. Maar na die avond van Koos dacht ik wel aan Lizzy. En toen jij ernaar vroeg vertelde ik over die periode in mijn leven.

Dat kon ik na die jaren doen op de manier van prettige herinneringen ophalen aan een leuke tijd. Jij begreep me direct. En je deed
je best, zonder mij erover te vertellen, een zoektocht naar Lizzy te
beginnen. Wat daaruit is voortgekomen heeft onze levens volkomen veranderd. Wat over ons heen is gevallen is niet in korte tijd
te verwerken. In het gehaspel en gezeur van vader Frits zie ik dat hij
het geheel ook nog niet heeft verwerkt en dat begrijp ik. Hij moet
de tijd krijgen in te zien dat er geen andere mogelijkheid is dan een
weg tussen Marieke en mij open te laten. Die weg kan niet meer
afgesloten worden. Aan het feit dat Marieke in een opstandige bui
naar ons is toegekomen, geef ik niet veel aandacht. Voor het kind
waren het ook spannende weken en ze zal toch iets van mijn karakter in zich hebben. Ze is nog heel jong, als er iets tegenloopt in het
leven neemt ze meteen een middel in de handen er iets aan te doen.
En, daarvan ben ik daarnaast ook overtuigd, het is een klein beetje
een ondeugend meisje, ze wilde graag weten hoe en waar ik woonde en welke vrouw mijn vrouw is...'
'Menno,' ze keek hem recht aan, hij vroeg zich af welke vraag nu
zou komen, maar, beloofde hij in stilte, lieverd, ik begrijp je twij-
fels en ik zal je eerlijk antwoorden.
'Als de mogelijkheid er zou zijn,' begon ze op een wat slome toon
te praten, 'dat er na deze hernieuwde kennismaking tussen Lizzy en
jou een kans zou bestaan met haar verder te gaan in het leven, jij en
zij en Marieke eindelijk toch bij elkaar, zou jij dat dan graag willen... Niet uitwijken door te zeggen dat Frits daaraan beslist niet zal
meewerken, dat snap ik ook van hem, het gaat nu alleen om jou.
Niet over het doen, alleen de vraag: wil jij dat graag...'
Een klein duiveltje sprong op in zijn hart, het was een impuls, het
duurde ook maar even. Verder gaan met Liz, zijn Lizzy weer bij
zich? Ja, dat wilde hij wel en Marieke bij hen, zij drietjes, haar eerlijk antwoorden kon hij dus niet, hij zei: 'Hoe kom je daar nu bij?!

Lieveling, je wilt mij toch niet kwijt? Ik vind Liz nog steeds een leuke vrouw, maar ze is niet meer het spontane kind van vroeger waarop ik verliefd werd. Ze is ouder geworden, ze heeft, ik kan dat zeggen, het was mijn schuld, één en ander meegemaakt in haar leven. Ik weet ook niet hoe diep destijds haar liefde voor Frits de Winter was met hem te trouwen. Ze had een kind, ze was als vrouw alleen met dat kind, geen vader erbij, ze woonde bij haar moeder en Hans van Westen, geen blije omstandigheden...'

'Je geeft geen rechtstreeks antwoord op mijn vraag. Ik maak daaruit op dat je het me niet eerlijk wilt zeggen wanneer het ja is. Als dat jouw antwoord is en het blijkt dat Lizzy daarin niet met je meegaat, zou je mij kwijt kunnen raken, want je weet dat ik niet op de tweede plaats wil komen als het om de liefde in een huwelijk gaat. Jouw adoratie en aandacht voor de meisjes van vóór mijn tijd speelt niet mee, wel de liefde in ons huwelijk. En daar, Menno,' ze maakte een licht afwerend gebaar naar hem toe haar niet in de reden te vallen, 'laat me uitspreken; ik zeg je nu dat ik je vrij laat als het de wens van jullie beiden is en er de mogelijkheid toe wordt gegeven, dus ook van de zijde van Frits Lizzy los te laten nu ze haar grote liefde weer heeft gevonden, als dat zo is laat ik je ook vrij...'

'Mijn hemel, Suzanne, wat zeg je nu! Je wilt me vrijheid geven, dat betekent nuchter onder woorden gebracht dat je ons huwelijk wilt laten ontbinden als dat waarover je gepraat hebt door zou kunnen gaan?! Je wilt me de kans geven alsnog met Lizzy te trouwen en met haar samen voor ons kind te zorgen...' Hij had de woorden luid uitgesproken, hij schudde in een gebaar van ontreddering zijn hoofd, 'dat je hierover gedacht hebt, dat dit in je gedachten is opgekomen! Het is waar dat Liz en ik de ouders zijn van Marieke, het is wat men soms een gouden trio noemt, vader, moeder en kind en dat klinkt heel mooi, maar het leven heeft haar en mij na het gebeuren van toen op andere wegen neergezet. En op die wegen zijn we gelukkig.

Ik ben blij met jou. We begrijpen elkaar, we kennen elkaar door en door, we laten elkaar vrij in bezigheden en interesses die de één wel ziet zitten en de ander juist totaal niet, kort en bondig gezegd: we hebben het goed samen. En los van dit, wat voor ons telt, ben ik ervan overtuigd dat Frits de Winter Lizzy nooit zal loslaten. En niet alleen omdat er naast Marieke nog twee kinderen zijn van hun samen.'

Er viel een stilte. Menno schudde in een langzame beweging zijn hoofd, toen praatte hij verder: 'Het is me niet duidelijk hoe jij tot deze gedachten bent gekomen. Ja, ik begrijp het toch wel. Ik heb meerdere malen gezegd dat ik destijds veel van Lizzy hield en dat ik heel blij ben met het weten van mijn dochter, die opeens mijn leven is binnengekomen, dat is ook geweldig, maar met Lizzy verdergaan en jou achterlaten, nee, dat kan ik niet en dat wil ik niet. En verwacht je dat Lizzy met mij de toekomst zal instappen en Frits, Ineke en Thomas loslaten? Nee, dat geloven jij en ik toch niet?! Maar het hoeft ook weer niet zo te zijn dat in de komende jaren onze wegen totaal uit elkaar lopen. Wij zullen Marieke vaak zien, daarvan ben ik overtuigd. Ik ben haar vader en ze mag me wel.' Hij grijnsde, 'ze mag jou ook, dat is de voorbije dagen wel duidelijk geworden! Ze voelt zich hier al een beetje thuis. En Frits en Lizzy zullen haar vrijwel elke dag zien omdat ze in de eerste plaats hun dochter is. Ze woont in hun huis, ze is in dat huis opgegroeid, ze hoort daar ook.'

Suzanne hing tegen de dikke rugleuning van de stoel. Ze was moe, dit gesprek putte haar uit en ze was niet volkomen tevreden met zijn antwoord. Menno had geen duidelijk 'ja' of 'nee' gezegd op haar vraag of hij met Lizzy verder wilde als die mogelijkheid geboden zou worden. Hij zei wel dat het goed was tussen hen. Dat was ook zo, dat zou als een vaststaand feit blijven bestaan, maar het was niet het antwoord dat zij op haar vraag wilde horen... In de stoel tegenover haar zat Menno. In gedachten was hij nog bezig met wat Suzanne had gezegd. Hoe kwam ze hierbij? Verwonderlijk dat ze aan deze mogelijkheid dacht, verder met Lizzy. Diep in zijn hart was ze nog altijd zijn Lizzy, maar nee, er was geen mogelijkheid. Frits de Winter stond dit niet toe. Maar Suzanne, zijn Suzanne, zijn lieve vrouw, als dit ooit door zou gaan deed ze het uit liefde voor hem. Dat was toch een zwaar offer...

De volgende morgen belde hij vanuit het kantoortje in een bouwkeet naar Liz. Toen ze aan de lijn kwam meldde hij zich: 'Lizzy, met Menno.'

'Is er iets met Marieke?' vroeg ze onmiddellijk, onrust in haar stem, 'dat malle kind moet zo snel mogelijk weer naar hier komen, Menno, en daar moet jij voor zorgen! Je had haar niet binnen moeten halen. Deze situatie is toch te zot om over te praten?'

Dit was geen goed begin voor het gesprek dat hij in gedachten had uitgeplozen, maar loslaten kon niet, volhouden dus.

'Liz, wij moeten met elkaar praten. En ik zeg er meteen bij dat het over een voor ons heel belangrijk onderwerp gaat. Je zult verbaasd zijn het te horen.'

'Ik heb geen zin met je te praten. Ik ben moe van alle problemen, vragen en antwoorden en ik wil er op heel korte termijn een einde aan hebben. Jij moet Marieke direct terugsturen naar huis om moeilijkheden tussen jou aan de ene kant, en Frits en mij aan de andere kant, te voorkomen. Menno, als je dat niet doet zal de verhouding er niet beter op worden. En het is het belang van jou en van Marieke een goed contact met elkaar en met ons te hebben. Frits is over zijn grote woede heen. Hij is nog wel boos, en dat ben ik ook, omdat ze deze streek heeft uitgehaald. En Frits is bezorgd. Ze zal het goed hebben bij jullie, daar twijfelen we niet aan,' er klonk een sarcastische toon mee in haar woorden, 'maar ze moet terugkomen.'

'Maak je geen zorgen over Marieke. Zodra ze weet dat alles op een goede manier wordt opgelost komt ze naar huis. En dan, maar ik wil me niet met jullie opvoeding bemoeien, zal het goed zijn er niet steeds weer en weer over te zaniken dat ze naar ons huis is gekomen.'

'Je zou je niet met onze opvoeding bemoeien, doe dat dan ook niet.' Menno lachte in de hoorn. 'Ik zeg er niets meer over. Maar jij en ik moeten op korte termijn met elkaar praten, Lizzy.' Hij liet zijn stem dalen, legde er een warme klank in, 'het is voor ons beiden heel belangrijk...'

'Ik heb geen zin in een gesprek, Menno. Er is al zoveel gepraat, ik word er moe van. Ik wil meewerken aan een plan dat Marieke en jou af en toe bij elkaar brengt. Ik snap heel goed dat jullie dat beiden willen, maar verder moeten we onze levens gescheiden houden.' Dit was niet gunstig. Maar toch proberen. Nu hing rond hun praten een enigszins onwillige toon, van haar kant, maar als ze elkaar morgen of overmorgen zagen zou dat beslist anders zijn.

'Wil je naar De Witte Lelie komen?'

'Liever niet, volhouder die je bent!' Hij hoorde haar lach in zijn oor, 'ik zie het nut van praten tussen ons niet in. Wat gezegd moest worden is gezegd.'

'Suzanne heeft me iets verteld wat heel belangrijk voor ons is.'

'Wat dan?'

'Het is te belangrijk om tussen het lawaai van de mokerslagen hier op het werkterrein te vertellen. Morgenmiddag om halfdrie in De witte Lelie?'

Een diepe zucht bereikte hem. Hij lachte er even om. Ze hoorde dat lachje. Ze zei: 'Goed, doordrammer, ik zal er zijn...'

De volgende middag zaten ze tegenover elkaar in het restaurant. 'Lizzy, luister naar me. Ik houd geen lange inleiding, ik kom meteen tot het onderwerp waarom het draait. Het is een heel belangrijk onderwerp voor ons. Suzanne en ik hebben deze week een ernstig gesprek gevoerd. Het was eigenlijk geen echt gesprek, want voornamelijk Suzanne is aan het woord geweest. Zij vertelde me iets heel belangrijks. Namelijk,' hij boog zich over de tafel iets naar haar toe, 'dat ze, als voor ons de mogelijkheid bestaat met z'n drietjes, jij, Marieke en ik, verder te gaan, eindelijk bij elkaar, eindelijk onze liefdes verenigd, zij mij daartoe de vrijheid wil geven.' Dit was het voornaamste en hij had het naar voren gebracht. Nu snel verder praten, haar geen kans geven iets te zeggen, ze moest nadenken over zijn woorden. Hij praatte dus door: 'Suzanne is ervan overtuigd dat jij nog steeds mijn grote liefde bent. Ze wist lange jaren niet van jouw bestaan, maar sinds wat jij "de moeilijke dinsdagmiddag" noemt, is er veel aan denken en verwerken over ons heen gevallen. Ook over jou, maar jij kende de feiten, ik kende ze niet en Suzanne kende ze ook niet. Maar nu we alles weten is er tijd na te denken over wat gebeurd is. Ik ben je door alle jaren heen niet vergeten. Ik kon ook al die jaren niet begrijpen waarom je niet op de afgesproken woensdagavond naar me bent toegekomen. Over wat er die zaterdagnacht is gebeurd praat ik liever niet, daarover hebben we al gepraat. Maar het was in mijn ogen goed tussen ons. Ik wachtte op je, eerst op de bank in de kamer, jouw plaatsje naast me vrij, toen het lang duurde ben ik bovenaan de trap gaan zitten en later stond ik in de deuropening. Maar je kwam niet. Ik heb naar je gezocht, maar ik kon je niet vinden.'

'Je vrouw kon me jaren later wel vinden.'

'Zij ging uit van andere informatie.'

'Menno, we kunnen dit gesprek snel afsluiten, want zo er al een mogelijkheid zou komen dat Frits mij vrij laat om met jou verder te gaan, ik weet heel beslist dat ik het niet zal doen. Ik heb van je gehouden, ik vond je een geweldige bink, je was vlot en leuk en noem maar op, mijn hartje van achttien jaar stond voor jou in vuur en vlam, maar na wat gebeurde ebde die liefde en warmte weg. Ik kende Frits in die tijd al, dat weet je intussen. Ik ging van hem houden en ik houd nog van hem; we hebben het heel goed samen. Hij is anders dan jij. Niet zo actief, niet zo vol plannen en werklust, maar Frits is een schat. Zijn leven draait om mij en de kinderen, om alle drie de kinderen. Nadat Marieke was vertrokken hebben we uren en uren gepraat en Frits ziet nu in dat hij een contact tussen Marieke en jou niet mag tegenhouden. Ik heb hem beloofd in de gaten te houden dat het niet te ver gaat met jouw aandacht voor haar, dat je niet te veel beslag op haar legt, haar te veel aan jou wil binden... Marieke is het kind van Frits en mij, wij hebben voor haar gezorgd, ze hoort bij ons, wij willen haar niet aan jou afstaan. Je moet dit op de juiste manier begrijpen en als je erover denkt weet je hoe ik het bedoel.

Het is lief van Suzanne dit voorstel tegenover jou te hebben gedaan,' ze keek hem recht aan, hij zag de lichtjes in haar ogen die hij er vroeger ook in had gezien. Liz wist dat wat ze ging zeggen niet prettig voor hem zou zijn, maar haar woorden waren op dit moment het beste voor hem. 'Het is mogelijk dat ze dit uit grote liefde voor jou heeft voorgesteld, maar het kan ook zijn, Menno, dat ze niet op de tweede plaats in jouw hart wil komen. En dat ze, wanneer ze zeker weet dat ze op die tweede plaats is terechtgekomen, het staat los van het feit of wij wel of niet met elkaar verdergaan, liever bij je weg gaat, ze je los laat. Je moet hier goed over nadenken. Nu er geen kans is op iets tussen ons samen moet je Suzanne weer in je armen sluiten en het fijne leven, dat jullie met z'n tweetjes hadden, weer oppakken. Niets kapotgooien wat niet meer gelijmd kan worden. Marieke zal af en toe deel uitmaken van jullie leven, maar ze wordt negentien, ze heeft een vaste vriend, misschien blijft het aan tussen die twee, misschien gaat het voorbij, maar dan komt er een ander die haar hartje verovert. Marieke heeft fijne vrienden en vriendinnen, ze gaat naar de universiteit, de studie zal haar bezighouden, haar leven is vol drukte. En jij en ik gaan elk verder met ons eigen leven...'

Ze praatte nog even door, ze voelde en wist de teleurstelling in hem, maar ze had geen medelijden met hem.

Ze nam met een kus op elke wang afscheid van hem. Ze liep rechtop naar de uitgang van het restaurant, de blonde haren dansten bij elke stap om haar hoofd. Ze liep langs het grote raam, ze zwaaide naar hem, ze pakte haar fiets, stapte op en reed in de zomerwind naar huis...

In het restaurant zat Menno Bouwsma nog aan de tafel. Hij wenkte de ober. 'Graag een jonge jenever,' zei hij, hij had iets krachtigs nodig.